Contents

MW00826164

Introduction

Who Should Use This Book?

The materials in this book are designed to provide practice in reading and language arts for children who read in English, Spanish, or both languages. Selections and follow-up exercises provide practice with essential reading comprehension skills for all readers. Activities that focus on comprehension, vocabulary, and higher-order thinking skills are similar in both English and Spanish. The focus of instruction on structural elements and phonics differs in these languages, so activities for these skills are language-specific. The way you use these books will vary depending on the instructional setting in your classroom.

In Bilingual Classrooms, students may be reading in either Spanish or English. Regardless of the language of instruction, all students in your class will be able to read selections on the same topics written in the same genre and emphasizing the same grade-level skills in reading and language arts. Selections and activities may be used for individual practice, partner and small group work, and even for whole class instruction, as all students have access to the same content.

In Spanish Immersion and Dual-Language Classrooms, students may be reading in both English and Spanish. Whether they read in one or two languages, students receive reading instruction in their second language. In this case, you may wish to use the passage in students' native language for prereading activities, or to help clarify meaning after students read the selection in their second language. You may also switch between using selections in English and in Spanish according to the instructional design of your program.

In Mainstream English Classrooms, you may have a scattering of Spanish-speaking students. As these students come up to speed in oral English and English literacy, you can provide on-level reading experiences in Spanish with the selections in *Read and Understand, English/Spanish*. This also helps students feel that they are involved in the same learning activities as their fluent-English-speaking peers.

No matter what your classroom configuration, practice with the full range of reading comprehension skills is essential for all second-grade students. *Read and Understand, English/Spanish* allows you to provide such practice in directed lessons with small or large groups, as independent practice, and for homework assignments. As an additional benefit, Spanish-speaking parents will be better able to support their children with homework assignments in their mother tongue.

Read and Understand, English/Spanish contains 33 one- and two-page selections that include:

- **fables**
- **folktales**
- **fairy tales**
- **poetry**
- **nonfiction**
- **realistic fiction**

The level of difficulty of these passages spans mid-first grade through beginning third grade. This allows second-grade students to experience some texts at their comfort level and others that will challenge them to move ahead.

Each text appears in parallel versions in English and in Spanish:

Folktales

Realistic Fiction

Nonfiction Selections

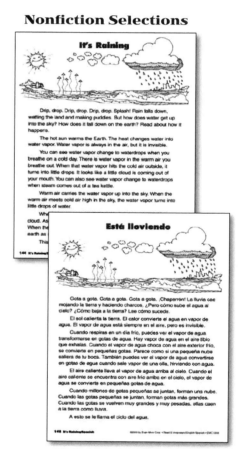

. . . and more!

Skills Pages

Each selection in *Read and Understand, English/Spanish* is followed by three pages of exercises that provide targeted practice in key reading and language arts skills. The activities on these practice pages focus on skills in:

- **comprehension**
- **vocabulary**
- **structural analysis**
- **critical thinking**

Each page identifies the skills addressed in the activity, making it easy to track the reading and language arts skills practiced on each page. These skills are also listed with each selection on the Contents page.

Comprehension Activities

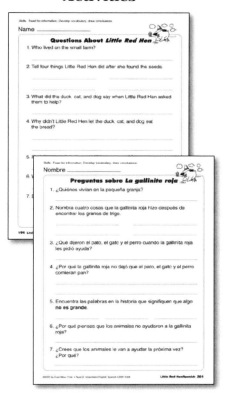

Vocabulary and Structural Analysis Activities

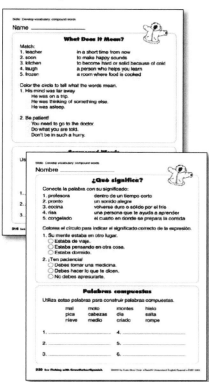

Critical-Thinking Activities

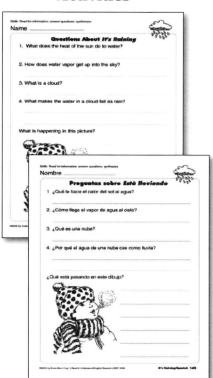

For focused skill instruction with small or large groups:

- **create a transparency of the activity page with the targeted skill**
- **conduct a minilesson or invite students to work through exercises with you**
- **provide individual copies of activity pages for students to complete independently or as follow-up to group instruction**

Max and the Funny Fox

Max and Uncle Ted had spent the afternoon fishing. Now Uncle Ted was building a campfire to cook the day's catch.

"Max, will you get my jacket?" called Uncle Ted. "I left it in the tent." Max ran over to the tent to get the jacket.

"Didn't we shut the tent flap?" asked Max. "Why is it open now?" He peeked inside. The tent was a mess!

"Uncle Ted, come quick!" yelled Max. "Someone's been in the tent." Just then, Max saw that his sleeping bag was wiggling. The next thing he saw was a little red head peeking out of the bag. It was a fox! Max began to laugh. The little fox had one of his socks in its mouth.

Uncle Ted pulled Max out of the tent. He opened the flap wide and stood back. The little fox made a quick exit.

Max and Uncle Ted picked up the mess. Then Uncle Ted tied the tent flap shut.

"We don't want any more animal visitors," he laughed. "Now, let's go cook those fish."

Name _____

Questions About *Max and the Funny Fox*

1. Where had Max and Uncle Ted been?

   _____

2. What did Max see when he got to the tent?

   _____

3. What had made the big mess inside the tent?

   _____

4. How did Max know something was in the sleeping bag?

   _____

5. What made Max laugh?

   _____

6. Why did Uncle Ted pull Max out of the tent?

   _____

7. Why did Uncle Ted tie the flap of the tent shut?

   _____

8. Why do you think the fox went into the tent?

   _____

Name _____

Cut out the sentences.
Paste them in order.

1.

2.

3.

4.

5.

6.

The inside of the tent was a mess.

The fox ran out of the tent.

Uncle Ted asked Max to get his jacket.

A fox peeked out of the sleeping bag.

Max saw that the tent flap was open.

Uncle Ted pulled Max out of the tent.

Name _____

What Does It Mean?

Match:

exit   someone who comes to see you

visitor   a warm bag to sleep in

tent   to leave a place

sleeping bag   the opening into a tent

flap   something to wear

peek   a happy sound

jacket   to look

laugh   a bedroom when you camp

Write the words for each picture.

_____   _____   _____

Max and the Funny Fox/English

Max y el zorro gracioso

Max y su tío Ted habían pasado la tarde pescando. Ahora Tío Ted encendía una fogata para cocinar lo que habían pescado.

"Max, ¿me traes mi chaqueta?" gritó Tío Ted. "La dejé en la carpa." Max corrió hacia la carpa para traer la chaqueta.

"¿No dejamos cerrada la entrada de la carpa?" se preguntó Max. "¿Por qué está abierta ahora?" Se asomó para adentro. ¡La carpa estaba desordenada!

"¡Tío Ted, ven pronto!" gritó Max. "Alguien ha estado en la carpa." En ese momento Max vio que su saco de dormir se estaba moviendo. En seguida vio una pequeña cabeza roja asomándose del saco. ¡Era un zorro! Max comenzó a reír. El pequeño zorro tenía uno de sus calcetines en la boca.

El tío Ted sacó a Max de la carpa de un tirón. Abrió la entrada de la carpa de par en par y retrocedió. El zorrito salió rápidamente.

Max y Tío Ted recogieron el desorden. Luego Tío Ted cerró y aseguró la entrada de la carpa.

"No queremos más visitas de animales," se rió. "Ahora vamos a cocinar esos pescados."

Nombre _____

Preguntas sobre *Max y el zorro gracioso*

1. ¿Dónde habían estado Max y Tío Ted?

   _____

2. ¿Qué vió Max cuando llegó a la carpa?

   _____

3. ¿Qué causó todo el desorden dentro de la carpa?

   _____

4. ¿Cómo supo Max que había algo en su saco de dormir?

   _____

5. ¿Qué hizo reír a Max? ¿Por qué?

   _____

6. ¿Por qué Tío Ted sacó a Max de la carpa de un tirón?

   _____

7. ¿Por qué Tío Ted aseguró la entrada de la carpa?

   _____

8. ¿Por qué crees que el zorro entró en la carpa?

   _____

Nombre _____

Corta las frases.
Pégalas en orden.

1.

2.

3.

4.

5.

6.

El interior de la carpa estaba en desorden.

El zorro salió corriendo de la carpa.

El tío Ted le pidió a Max que le trajera su chaqueta.

Un zorro se asomó del saco de dormir.

Max vió que la carpa estaba abierta.

El tío Ted sacó a Max de la carpa de un tirón.

Nombre _____

¿Qué significa?

Conecta la palabra con su significado:

salir   alguien que viene a verte

visita   una bolsa acolchada para dormir

carpa   abandonar un lugar

saco de dormir   el lugar por donde se entra

entrada   una prenda de vestir

fogata   un sonido alegre

chaqueta   hoguera que se enciende afuera

risa   tu cuarto cuando estás
                                   acampando

Escribe la palabra que corresponde a cada dibujo.

_____   _____   _____

Bugs!

"Eeek! A bug!" shouted Susan.

"I'm not a bug. I'm a grasshopper," said a tiny, little voice.

"I jump high and far on my strong back legs."

"Eeek! A bug!" yelled Yolanda.

"I'm not a bug. I'm a beetle," said a tiny, little voice.

"My wings are protected by a shiny hard cover."

"Eeek! A bug!" cried Carlos.

"I'm not a bug. I'm a cricket," said a tiny, little voice.

"I rub my wings together to make a chirping sound."

"Eeek! A bug!" howled Harry.

"I'm not a bug. I'm a bumblebee," said a tiny, little voice.

"I fly from flower to flower collecting pollen to take back to my hive."

"Then what is a bug?" asked Susan, Yolanda, Carlos, and Harry.

"I'm a bug," said a tiny, little voice. "I look a lot like a beetle," said the bug, "but I eat in a different way. I have a long tube I use to suck juice from my food."

"Remember," explained the bug, "a bug is an insect, but not all insects are bugs."

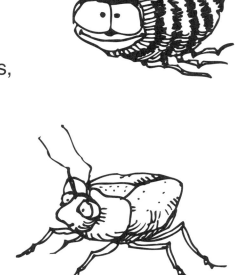

Name _____

Questions About *Bugs!*

1. What did the children do when they saw insects?

   _____

2. What can these insects do?

   grasshopper _____

   bumblebee _____

   cricket _____

3. How does a beetle protect its wings?

   _____

4. How is a bug different from a beetle?

   _____

5. Would you say "Eeek!" if you saw a bug? Why?

   _____

   _____

Draw your favorite insect.

_____

Name _____

Name the Insects

Write the insects in the order the children saw them.
Tell who saw the insect.

1. _____ _____

2. _____ _____

3. _____ _____

4. _____ _____

5. _____ _____

What Goes Together?

Write the words in the correct box.

Insects	People	Plants
_____	_____	_____
_____	_____	_____
_____	_____	_____
_____	_____	_____
_____	_____	_____

Susan	bush	Harry
grasshopper	ant	bug
tree	moth	weed
Carlos	vine	cricket
Maria	flower	Yolanda

Name _____

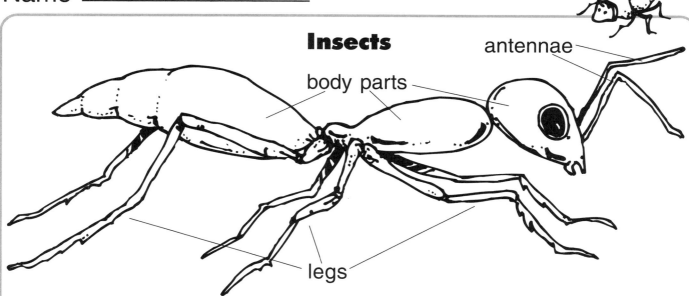

Insects

antennae

body parts

legs

Look at the insect chart.
Answer the questions.

1. How many body parts do insects have? _____

2. What do insects have on their heads? _____

3. How many legs do insects have? _____

Circle the insects below.

¡Bichos!

"¡Uuuy! ¡Un bicho!" gritó Susana.

"Yo no soy un bicho. Soy un saltamontes," dijo una voz pequeña y diminuta. "Yo salto alto y lejos con mis fuertes patas traseras."

"¡Uuuy! ¡Un bicho!" exclamó Yolanda.

"Yo no soy un bicho. Soy un escarabajo," dijo una voz pequeña y diminuta. "Mis alas están protegidas por una cubierta brillante y dura."

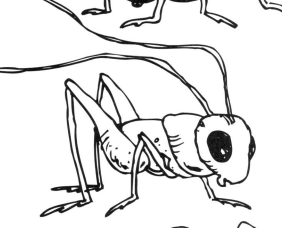

"¡Uuuy! ¡Un bicho!" chilló Carlos.

"Yo no soy un bicho. Soy un grillo," dijo una voz pequeña y diminuta. "Yo me froto las alas para hacer un chirrido."

"¡Uuuy! ¡Un bicho!" aulló Jairo.

"Yo no soy un bicho. Soy un abejorro," dijo una voz pequeña y diminuta. "Yo vuelo de flor en flor recogiendo polen para llevar de regreso a mi colmena."

"Entonces, ¿qué cosa es un bicho?" preguntaron Susana, Yolanda, Carlos y Jairo.

"Yo soy un bicho," dijo una voz pequeña y diminuta.

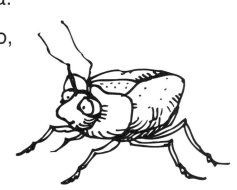

"Yo me parezco mucho al escarabajo," dijo el bicho, "pero soy diferente. Tengo un tubo largo que uso para chupar el jugo de mi alimento."

"Recuerda," explicó el bicho, "un bicho es un insecto, pero no todos los insectos son bichos."

Nombre _____

Preguntas sobre ¡*Bichos!*

1. ¿Qué hicieron los niños cuando vieron insectos?

   _____

2. ¿Qué pueden hacer estos insectos?

   El saltamontes _____

   El abejorro _____

   El grillo _____

3. ¿Cómo protege sus alas el escarabajo?

   _____

4. ¿En qué se diferencia un bicho de un escarabajo?

   _____

   _____

5. ¿Dirías "¡Uuuy!" si vieras un bicho? ¿Por qué?

   _____

Dibuja tu insecto favorito.

```



```

Nombre _____

Nombra los insectos

Escribe los insectos en el orden en que los vieron los niños.
Escribe también el nombre del niño que vió el insecto.

1. _____   _____

2. _____   _____

3. _____   _____

4. _____   _____

5. _____   _____

¿Cuáles van juntas?

Escribe las palabras en la categoría correcta.

Insectos	Personas	Plantas
_____	_____	_____
_____	_____	_____
_____	_____	_____
_____	_____	_____
_____	_____	_____

Susana   arbusto   Jairo
saltamontes   hormiga   bicho
árbol   polilla   maleza
Carlos   enredadera   grillo
María   flor   Yolanda

Nombre _____

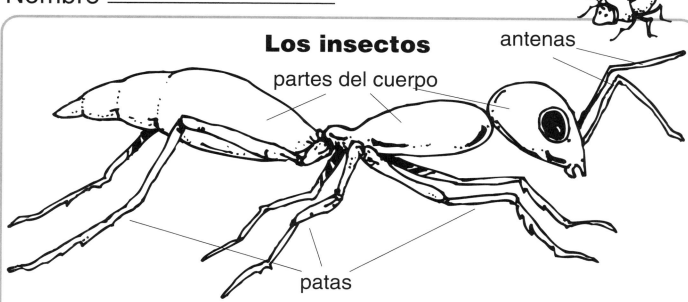

Los insectos

antenas

partes del cuerpo

patas

Mira el diagrama del insecto.
Contesta las preguntas.

1. ¿Cuántas partes tiene el cuerpo de los insectos? _____

2. ¿Qué tienen los insectos en la cabeza? _____

3. ¿Cuántas patas tienen los insectos? _____

Encierra con un círculo los insectos.

A Message from Uncle Wilber

Our Uncle Wilber is a little strange. We can never tell what he will send us. Last week, there was a knock at the door. When the messenger gave us a box, we knew it had to be from Uncle Wilber. It was full of holes and covered with messages.

"What do you think it is this time?" I asked my sister.

"I know it's something strange," Sarah said.

We opened the box. Inside was a goldfish in a bowl and a letter. The letter said...

Dear Sarah and Sid,
This is Oscar, my pet goldfish.
Please take good care of him while I am away.
Talk to him. He likes it.
See you next week.
          Love,
          Uncle Wilber

On Friday, Uncle Wilber came to take Oscar home. We'll miss him, but Uncle Wilber left us a thank-you present. This box is full of holes. It is covered with messages. The box is very heavy. It hisses, too.

"I don't know if I want to open it," whispered Sid.

"I'll do it," said Sarah. Slowly, she undid the knot and lifted off the lid.

"Eeeeek!"

Name _____

Questions About *A Message from Uncle Wilber*

1. What did the messenger bring Sarah and Sid?

   _____

2. Why did Uncle Wilber send Oscar to Sarah and Sid?

   _____

3. How long did they take care of Oscar?

   _____

4. What did Uncle Wilber give Sarah and Sid as a thank-you gift?

   _____

5. What do you think would happen if Sid or Sarah poked a finger into a hole in the box?

   _____

   _____

6. Why did Sarah and Sid think Uncle Wilber was a little strange?

   _____

Draw what you think is in the thank-you present from Uncle Wilber.

Name _____

What Happened Next?

Cut out the sentences.
Paste them in order.

There was a knock at the door.

Eeeeek!

Sarah and Sid took care of Oscar.

Something in the box hissed.

A messenger came with a box.

Uncle Wilber came on Friday.

A goldfish in a bowl was in the box.

Uncle Wilber left a thank-you present.

Name _____

What Does It Mean?

Match:

messenger   words sent from one person to another

message   a tap on the door

strange   a present

knock   a person who brings messages

gift   different

Warnings

The boxes in the story had warnings.
Read these warnings.
Write them on the signs.

wet paint   this side up
stop   keep off the grass

Un mensaje del tío Gilberto

Nuestro tío Gilberto es un poco extraño. Nosotros nunca sabemos qué nos enviará. La semana pasada tocaron a la puerta. Cuando el mensajero nos entregó una caja, sabíamos que venía del tío Gilberto. La caja estaba llena de agujeros y cubierta con mensajes.

"¿Qué piensas que sea esta vez?" le pregunté a mi hermana.

"Seguro que es algo extraño," dijo Sara.

Abrimos la caja. Adentro había un pececillo dorado en una pecera y una carta.

La carta decía…

> Queridos Sara y Simón,
> Esta es mi mascota Oscar, un pececillo dorado.
> Por favor cuídenlo mientras estoy de viaje.
> Háblenle. Al pez le gusta que le hablen.
> Nos vemos la semana entrante.
>   Cariños,
>   Tío Gilberto

El tío Gilberto llegó el viernes para llevarse a Oscar de regreso a casa. Lo vamos a extrañar, pero el tío Gilberto nos dejó un regalo de agradecimiento. La caja que dejó está llena de agujeros. También está cubierta de mensajes. La caja es muy pesada. Se oye un siseo también.

"Yo no sé si quiero abrirla," murmuró Simón.

"Yo lo hago," dijo Sara. Lentamente ella desató el nudo y abrió la tapa.

"¡Yaaaak!"

Nombre _____

Preguntas sobre *El mensaje del tío Gilberto*

1. ¿Qué trajo el mensajero para Sara y Simón?

   _____

2. ¿Por qué el tío Gilberto envió su mascota a Sara y a Simón?

   _____

3. ¿Por cuánto tiempo los sobrinos cuidaron a Oscar?

   _____

4. ¿Qué les dejó el tío Gilberto a Sara y a Simón como regalo de agradecimiento?

   _____

   _____

5. ¿Qué pasaría si Simón o Sara metieran un dedo en un agujero?

   _____

6. ¿Por qué piensan Sara y Simón que el tío Gilberto es un poco extraño?

   _____

Haz un dibujo de lo que piensas les dejó como regalo de agradecimiento el tío Gilberto.

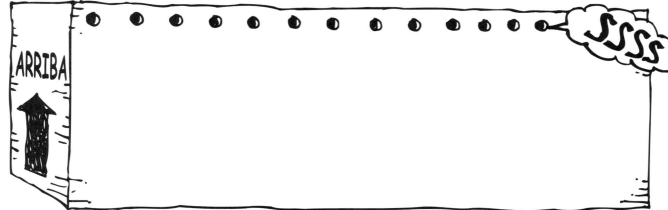

Nombre _____

¿Qué pasó después?

Recorta las frases.
Pégalas en orden.

Alguien tocó a la puerta.

```
┌─────────────────────────────┐
│                             │
└─────────────────────────────┘
┌─────────────────────────────┐
│                             │
└─────────────────────────────┘
┌─────────────────────────────┐
│                             │
└─────────────────────────────┘
┌─────────────────────────────┐
│                             │
└─────────────────────────────┘
┌─────────────────────────────┐
│                             │
└─────────────────────────────┘
┌─────────────────────────────┐
│                             │
└─────────────────────────────┘
```

¡Yaaaak!

Sara y Simón cuidaron a Oscar.

Se oyó un siseo dentro de la caja.

Un mensajero llegó con una caja.

El tío Gilberto llegó el viernes.

Dentro de la caja había un pececillo dorado en una pecera.

El tío Gilberto dejó un regalo de agradecimiento.

Nombre _____

¿Qué significa?

Conecta la palabra con su significado:

mensajero   las palabras que envía una persona a otra

mensaje   llamar a la puerta

extraño   algo que le lleva una persona a otra

tocar   una persona que lleva mensajes

regalo   diferente

Advertencias

Las cajas enviadas en el cuento tenían avisos de advertencia.
Lee estos avisos de advertencia.
Copia el aviso adecuado en cada uno de los siguientes dibujos.

pintura fresca   este lado arriba
alto   no pise el césped

The Giant Carrot

Grandfather liked to work in his garden. He grew rows and rows of the vegetable he liked most—carrots.

Grandfather saw that one carrot was much bigger than the rest. The green top of the carrot was as tall as Grandfather. He grabbed it and pulled. He pulled very hard. The giant carrot would not come out.

Grandfather called Grandmother and asked her to help. Grandmother came to the garden. She pulled on Grandfather. Grandfather pulled on the carrot top. The giant carrot would not come out.

Grandmother called her pet cat and asked it to help. The pet cat came to the garden. He pulled on Grandmother. Grandmother pulled on Grandfather. Grandfather pulled on the carrot top. The giant carrot would not come out.

The pet cat called to a little gray mouse and asked it to help. The little gray mouse came to the garden. It pulled on the pet cat. The pet cat pulled on Grandmother. Grandmother pulled on Grandfather. Grandfather pulled on the carrot top. They pulled and pulled and pulled...

and the carrot came out!

Name _____

Questions About *The Giant Carrot*

1. Where did Grandfather like to work?

   _____

2. What did he grow in the garden?

   _____

3. What was Grandfather's problem?

   _____

4. How did Grandfather get the giant carrot out of the ground?

   _____

   _____

5. What do you think Grandfather will do with the giant carrot?

   _____

Draw a picture of a carrot growing in the garden.

on top of the ground
under the ground

Name _____

What Happened Next?

Cut out the sentences below.
Paste them in order.

1.

2.

3.

4.

5.

Grandfather saw a giant carrot.

Grandfather, Grandmother, the cat, and the mouse all pulled.

Grandfather grew carrots in his garden.

And the carrot came out!

Grandfather pulled very hard. The carrot did not come out.

Name _____

Vegetable Garden

Answer the riddles to find the vegetables in the garden.

beet	peas	corn
celery	carrot	spinach

1. We are little, round, and green.	2. I'm yellow, sweet, and good to eat.	3. I'm red and round. I grow under the ground.
_____	_____	_____
4. I'm long and orange with a green top.	5. My green leaves are good to eat.	6. Eat my long, crunchy stems.
_____	_____	_____

Now, read this list of vegetables.
Find them in the puzzle.

____ beet	____ peas
✔ broccoli	____ potato
____ carrot	____ radish
____ corn	____ spinach
____ eggplant	____ squash
____ green beans	____ turnip

```
b r o c c o l i c x c s
e g g p l a n t o p a p
e t u r n i p z r e r i
t w s q u a s h n a r n
g r e e n b e a n s o a
p o t a t o b a l l t c
a p p l e r a d i s h h
```

La zanahoria gigante

Al abuelo le gustaba trabajar en su huerta. Sembraba surco tras surco de los vegetales que más le gustaban—zanahorias.

Un día abuelo vió que una de las zanahorias era mucho más grande que las demás. Las hojitas verdes de la zanahoria eran tan altas como el abuelo. Él las agarró y jaló. Jaló con toda su fuerza. Pero la zanahoria gigante no salía.

El abuelo llamó a la abuela y le pidió ayuda. La abuela fue a la huerta. Ella jaló al abuelo. El abuelo jaló las hojas de la zanahoria. La zanahoria gigante no salía.

La abuela llamó a su gato y le pidió ayuda. El gato fue a la huerta. El gato jaló a la abuela. La abuela jaló al abuelo. El abuelo jaló las hojitas de la zanahoria. La zanahoria gigante no salía.

El gato llamó a un ratoncito gris y le pidió ayuda. El ratoncito gris fue a la huerta. Jaló al gato. El gato jaló a la abuela. La abuela jaló al abuelo. El abuelo jaló las hojitas de la zanahoria. Ellos jalaron y jalaron...

¡y la zanahoria al fin salió!

Nombre _____

Preguntas sobre *La zanahoria gigante*

1. ¿En dónde le gustaba trabajar al abuelo?

    _____

2. ¿Qué cultivaba en la huerta?

    _____

3. ¿Cuál fue el problema del abuelo?

    _____

4. ¿Cómo sacó el abuelo la zanahoria gigante de la tierra?

    _____

    _____

5. ¿Qué crees que el abuelo va a hacer con la zanahoria gigante?

    _____

Dibuja una zanahoria creciendo en una huerta.

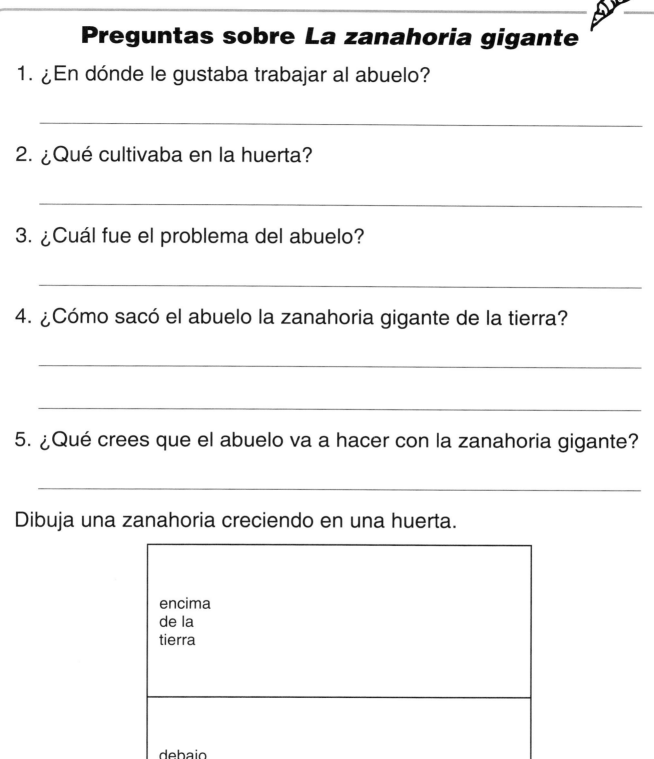

encima
de la
tierra

debajo
de la
tierra

Nombre _____

¿Qué pasó después?

Corta las frases.
Pégalas en orden.

1.

2.

3.

4.

5.

- -

El abuelo vió una zanahoria gigante.

El abuelo, la abuela, el gato y el ratoncito jalaron.

El abuelo cultivaba zanahorias en su huerta.

¡Y la zanahoria al fin salió!

El abuelo jaló con toda su fuerza. La zanahoria no salía.

Nombre _____

Vegetales de la huerta

Contesta las adivinanzas para encontrar los vegetales en la huerta.

remolacha   guisantes   maíz
apio   zanahoria   espinaca

1. Somos pequeñas, redondas y verdes. _____	2. Soy amarilla, dulce y rica para comer. _____	3. Soy roja y redonda. Crezco debajo de la tierra. _____
4. Soy larga y anaranjada con hojas verdes por arriba. _____	5. Mis hojas verdes son buenas para comer. _____	6. Se comen mis tallos largos y crujientes. _____

Lee la lista de vegetales.
Encuéntralos en el rompecabezas.

____ apio   ____ maíz

____ berenjena   ____ nabo

✓ brócoli   ____ papa

____ espinaca   ____ rábano

____ guisante   ____ remolacha

____ habichuela   ____ zanahoria

```
b  r  ó  c  o  l  i  c  h  h
e  z  a  n  a  h  o  r  i  a
r  á  b  a  n  o  c  í  b  b
e  g  u  i  s  a  n  t  e  i
n  r  z  a  b  x  y  á  c  c
j  w  n  p  o  p  k  m  n  h
e  s  p  i  n  a  c  a  a  u
n  j  u  o  q  p  t  í  b  e
a  z  v  é  r  a  g  z  o  l
r  e  m  o  l  a  c  h  a  a
```

The Three Billy Goats Gruff

Once upon a time, there was a family of billy goats named Gruff. The three goats lived on a hill near a wide river. Every day, the goats looked across the river at the tall green grass growing on a hillside.

"That grass looks so tasty," said the littlest Billy Goat Gruff.

"It must taste better than our grass," said the second Billy Goat Gruff.

"It's not safe to go across the bridge," warned the biggest Billy Goat Gruff. He knew a bad troll lived under the bridge. The troll had big eyes and a long crooked nose, and he liked to eat goats more than anything in the world.

One day, the littlest Billy Goat Gruff went down the trail to the bridge. He just had to have some of that tall green grass. As the little goat started across the bridge, out jumped the troll. "I'm going to eat you up!" growled the troll.

"I'm too little. Wait for my brother. He is bigger," begged the little goat. So the troll did.

The next day, the second Billy Goat Gruff went down the trail to the bridge. As he started across the bridge, out jumped the troll again. The troll shouted, "I'm going to eat you up!"

"I'm too little. Wait for my brother. He is much bigger," said the second goat. So the troll did. At last, the biggest Billy Goat Gruff went down the trail to the bridge. As he started across, the troll jumped out one more time, shouting, "I'm going to eat you up!"

"Come up and try," roared Big Billy Goat Gruff. So the troll did. Big Billy Goat Gruff hit the troll so hard that he was never seen again. Now, every day the three goats go over the bridge to the hillside to eat grass.

Name _____

Questions About *The Three Billy Goats Gruff*

1. How many goats were in the Gruff family?

   _____

2. Where did the troll live?

   _____

3. How did the little goat trick the troll?

   _____

4. What happened when the big goat went across the bridge?

   _____

5. Why can the goats eat grass on the hillside now?

   _____

Real or Make-Believe?

Put an **X** if a real goat can do it.
Put a ✔ if a real goat cannot do it.

_____ A goat can talk.

_____ A goat can eat green grass.

_____ A goat can walk across a bridge.

_____ A goat can hit a troll.

_____ A goat can be little or big.

Name _____

What Does It Mean?

Write the word by its meaning.
You will not use all the words.

family	bridge	growl
crooked	second	hillside
across	beg	troll

1. something built over a river so people can go across

   _____

2. bent or twisted

   _____

3. ask for something

   _____

4. an ugly creature in fairy tales

   _____

5. comes after first

   _____

6. an angry sound used as a warning

   _____

Match the Parts

The goats ate grass	to eat the goats.
A bad troll wanted	across the bridge.
The goats went	on the hillside.
"Try to eat me,"	said Big Billy Goat Gruff.
The troll jumped out	said the little goat.
"Wait for my brother,"	and shouted at the goat.

Name _____

A Troll

Put a line under the words that tell what you think the troll was like.

bad	big eyes
lazy	handsome
long nose	hungry
mean	funny
friendly	scary

Use some of the words to write two sentences about the troll.

1. _____

_____

2. _____

_____

Draw a troll under a bridge.

Los tres cabros Gruñón

Había una vez una familia de cabros machos de apellido Gruñón. Los tres cabros vivían en una colina cerca de un ancho río. Todos los días los cabros miraban la hierba alta y verde que crecía en la ladera al otro lado del río.

"Esa hierba se ve apetitosa," dijo el más pequeño de los cabros Gruñón.

"Debe saber mejor que nuestra hierba," dijo el segundo cabro Gruñón.

"Es peligroso atravesar el puente," advirtió el mayor de los cabros Gruñón. Él sabía que un ogro malvado vivía debajo del puente. El ogro tenía ojos grandes, una larga y encorvada nariz y más que nada en el mundo le gustaba comer cabras.

Un día, el más pequeño de los cabros Gruñón bajó por el camino hacia el puente. ¡Cómo deseaba probar un poco de esa verde hierba tan alta! Cuando el pequeño cabro comenzó a cruzar el puente, de repente le saltó el ogro. "¡Te voy a devorar!" gruñó el ogro.

"Soy muy pequeño. Espera a mi hermano. Él es más grande," le rogó el pequeño cabro. El ogro aceptó la propuesta.

Al día siguiente, el segundo cabro Gruñón bajó por el camino hacia el puente. Cuando comenzó a cruzar el puente, saltó el ogro nuevamente. El ogro gritó, "¡Te voy a devorar!"

"Soy muy pequeño. Espera a mi hermano. Él es mucho más grande," dijo el segundo cabro Gruñón. El ogro aceptó la propuesta.

Finalmente el cabro Gruñón más grande bajó por el camino hacia el puente. Cuándo comenzó a cruzar el puente, el ogro saltó de nuevo, gritando, "¡Te voy a devorar!"

"Ven e inténtalo," bramó el mayor de los cabros Gruñón. Entonces el ogro intentó comérselo. El cabro Gruñón más grande le dio un golpe tan fuerte al ogro que jamás se le volvió a ver. Ahora los tres cabros Gruñón cruzan el puente todos los días para comer hierba en la ladera.

Nombre _____

Preguntas sobre *Los tres cabros Gruñón*

1. ¿Cuántos cabros había en la familia Gruñón?

   _____

2. ¿Dónde vivía el ogro?

   _____

3. ¿Cómo logró el cabro pequeño engañar al ogro?

   _____

4. ¿Qué pasó cuando el cabro mayor cruzó el puente?

   _____

5. ¿Por qué ahora los cabros pueden comer hierba en la ladera?

   _____

¿Verdadero o falso?

Escribe una **X** si es verdad que un cabro puede hacerlo.
Escribe una ✔ si no es verdad que un cabro puede hacerlo.

_____ Un cabro puede hablar.

_____ Un cabro puede comer hierba verde.

_____ Un cabro puede cruzar un puente.

_____ Un cabro puede golpear a un ogro.

_____ Un cabro puede ser grande o pequeño.

Nombre _____

¿Cuál es el significado?

Escribe la palabra al lado de su significado.
No vas a utilizar todas las palabras.

familia	puente	gruñido
encorvado	segundo	ladera
cruzar	rogar	ogro

1. algo construido sobre un río para poder cruzar _____

2. doblado o torcido _____

3. pedir algo _____

4. una horrible criatura de los cuentos de hadas _____

5. el que le sigue al primero _____

6. un sonido de rabia o enojo _____

Conecta las frases

Los cabros comieron hierba   devorarse los cabros.

Un ogro malvado quería   cruzar el puente.

Los cabros fueron a   en la ladera.

"Intenta comerme,"   dijo el mayor de los cabros Gruñón.

El ogro saltó   dijo el cabro más pequeño.

"Espera a mi hermano,"   y le gritó al cabro.

Nombre _____

Un ogro

Subraya las palabras que tú crees podrían describir al ogro.

malo	ojos grandes
perezoso	guapo
nariz larga	hambriento
cruel	chistoso
amistoso	horrible

Utiliza algunas de las palabras anteriores para escribir dos frases sobre el ogro.

1. _____

_____

2. _____

_____

Dibuja un ogro debajo de un puente.

Cary's Hamster

Cary has a pet of his very own. It is small and furry. It has twitchy whiskers and little black eyes. Can you guess what it is? You're right. It's a little hamster.

Cary named his hamster Hammy. He takes good care of his pet. He knows Hammy needs a good place to live. Hammy has a cage with a lot of room. There is even a little hamster house for him to sleep in. Cary keeps Hammy's cage clean.

Cary gives his pet water and good things to eat. He feeds Hammy dry pet food made for hamsters. Hammy likes fruit, vegetables, seeds, and tiny bits of raw hamburger, too. He stuffs food in his cheeks and takes it into his house. He will eat it later. Cary likes to watch Hammy eat.

Hamsters need things to play with. Cary put a wheel and tubes in the cage. Hammy runs around his cage. He plays on the wheel, and he crawls through the tubes. Hammy likes to tear up bits of paper, too.

Cary knows not to wake up Hammy when he is sleeping. He knows not to play with Hammy too long at a time. Even a tame hamster like Hammy will bite if it is scared or tired.

Cary's parents say he takes such good care of Hammy that he can have another pet. What do you think that pet will be?

Name _____

Questions About *Cary's Hamster*

1. What words in the story tell what Hammy looks like?

   _____

2. Where does Hammy live?

   _____

3. What do hamsters like to eat?

   _____

4. Why won't Cary pet Hammy when the hamster is asleep?

   _____

5. How do Cary's parents know he takes good care of Hammy?

   _____

6. If you were Cary, what new pet would you pick? Why?

   _____

Circle the things a hamster can do.

run through tubes	fly a kite
stuff its cheeks with food	sleep
sing a song	drink water
eat	draw a picture
ride a bike	tear up paper

Name _____

How to Take Care of a Pet Hamster

List some ways to take care of a pet hamster.

1. _____

2. _____

3. _____

4. _____

5. _____

Draw a pet hamster in its cage. Show what the hamster needs.

Name _____

Hamsters

1. Draw a circle around the hamster eating an apple slice.

2. Color the biggest hamster brown.

3. Color the smallest hamster black.

4. Draw a box around the hamster running on the wheel.

5. Put an **X** on the hamster with food stuffed in its cheeks.

6. Draw a hamster inside the little house.

El hámster de Carlos

Carlos tiene su propia mascota. Es peluda y pequeña. Tiene bigotes y ojos negros pequeños. ¿Puedes adivinar qué es? Tienes razón. Es un pequeño hámster.

Carlos nombró Lalo a su mascota y lo cuida muy bien. Sabe que Lalo necesita un buen lugar para vivir. Lalo tiene una jaula con mucho espacio. Incluso tiene una casita para que él duerma adentro. Carlos le mantiene la jaula muy limpia a Lalo.

Carlos le da agua y buena comida a su mascota. Alimenta a Lalo con comida seca especial para un hámster. A Lalo le gusta las frutas, los vegetales, las semillas y también pequeños trozos de hamburguesa cruda. Se rellena los cachetes de comida y se la lleva a su casita. Para comérsela más tarde. A Carlos le gusta mirar a Lalo comer.

Un hámster necesita juguetes. Carlos le puso una rueda y unos tubos en la jaula. Lalo corre por dentro de su jaula. Juega en la rueda y pasa por los tubos como si fueran túneles. A Lalo también le gusta rasgar pedazos de papel.

Carlos sabe que no debe despertar a Lalo cuando está dormido. Sabe que no debe jugar con Lalo por un tiempo muy largo. Hasta un hámster domesticado como Lalo puede morder si está cansado o asustado.

Los padres de Carlos dicen que él cuida tan bien a Lalo que puede tener otra mascota. ¿Qué mascota crees que escogerá?

Nombre _____

Preguntas sobre *El hámster de Carlos*

1. ¿Qué palabras en la historia describen a Lalo?

   _____

2. ¿Dónde vive Lalo?

   _____

3. ¿Qué le gusta comer al hámster?

   _____

4. ¿Por qué Carlos no acaricia a Lalo cuando está dormido?

   _____

5. ¿Cómo saben los padres de Carlos que él cuida muy bien a Lalo?

   _____

6. Si fueras Carlos, ¿qué mascota escogerías? ¿Por qué?

   _____

Encierra con un círculo las cosas que puede hacer un hámster.

correr dentro de los tubos   elevar una cometa

rellenarse los cachetes con comida   dormir

cantar una canción   tomar agua

comer   dibujar

andar en una moto   rasgar papel

Nombre _____

Cómo cuidar un hámster mascota

Haz una lista de las diferentes maneras de cuidar un hámster.

1. _____

2. _____

3. _____

4. _____

5. _____

Dibuja un hámster en su jaula. Muestra lo que necesita el hámster para estar bien.

Nombre _____

El hámster

1. Dibuja un círculo alrededor del hámster que come una rebanada de manzana.
2. Colorea de café el hámster más grande.
3. Colorea de negro el hámster más pequeño.
4. Dibuja un rectángulo alrededor del hámster que corre sobre la rueda.
5. Ponle una **X** al hámster que tiene los cachetes rellenos de comida.
6. Dibuja un hámster dentro de la casita.

Maggie's Kite

Hi! My name's Maggie. I have always wanted a kite. I didn't want one that you buy at the store. I wanted a kite I made all by myself. This spring I made one.

Mom said I had to earn the money to buy the stuff I needed. For two weeks, I worked. I mowed the lawn. I baby-sat my little brother. I even gave the dog a bath.

At last, I had all the money I needed. I ran to the craft shop to get paper, wood, glue, and kite string.

I had to think a long time about just the right way to make it. Then I went to work. My little brother kept wanting to help. So I locked myself in my room until the kite was finished.

This morning, the kite was done. Boy, it looked great! After lunch, I raced to the park to try it out. The wind was just right. I took a running start, and up the kite went, soaring high into the sky.

That's my kite up there. The torn one caught on that tree branch. This has been a terrible day!

©2005 by Evan-Moor Corp. • Read & Understand English/Spanish • EMC 5308

Name _____

Questions About *Maggie's Kite*

1. What kind of kite did Maggie want?

   _____

2. What "stuff" did Maggie buy to make the kite?

   _____

3. Why did Maggie have to lock her door?

   _____

4. How do you think the kite got caught on the tree branch?

   _____

5. How did Maggie feel when her kite hit the tree?

   _____

6. What do you think will happen next?

   _____

How Did Maggie Feel?

Circle the face to show how Maggie felt.

☺ ☹ 1. made money

☺ ☹ 2. ran to craft shop

☺ ☹ 3. got kite stuck in the tree

☺ ☹ 4. kite soared up into the sky

☺ ☹ 5. Mom said she had to earn money

☺ ☹ 6. the kite was broken

☺ ☹ 7. she was making the kite

☺ ☹ 8. her little brother wanted to help

Name _____

What Does It Mean?

Circle the letter.

1. How did Maggie move when she **raced** to the park?
   - a. ran very fast
   - b. walked quickly
   - c. drove a car

2. What can you buy at a **craft shop**?
   - a. something to eat
   - b. a new hat
   - c. the stuff you need to make things

3. What do you do when you **mow** the grass?
   - a. cut it
   - b. water it
   - c. plant it

4. What part of a tree is a **branch**?
   - a. the part under the ground
   - b. the part that holds the tree up
   - c. the part where leaves grow

5. What does it mean to **earn** money?
   - a. to be paid money to do a job
   - b. to ask your mother for money
   - c. to take money out of your bank

Draw a kite flying high in the sky.

Name _____

What Happened Next?

Draw to show what happened next.

Maggie's Kite/English   59

La cometa de Margarita

¡Hola! Me llamo Margarita. Siempre he deseado tener una cometa. No quería una de las que se compran en la tienda. Yo quería una cometa construída por mí misma. Así que esta primavera construí una.

Mi mamá me dijo que tenía que ganarme el dinero para comprar los materiales necesarios. Trabajé por dos semanas. Corté el césped. Cuidé a mi hermano menor. Incluso bañé al perro.

Finalmente tenía todo el dinero que necesitaba. Corrí a la ferretería para conseguir papel, madera, pegadura y cuerda para cometas.

Pensé un buen rato sobre la mejor manera de construirla. Luego comencé a trabajar. Mi hermanito insistía en ayudarme. Tuve que encerrarme con llave en mi cuarto hasta que terminé la cometa.

Esta mañana la cometa quedó lista. ¡Caramba! ¡Se ve fantástica! Después del almuerzo corrí a toda prisa hacia el parque para ensayarla. El viento estaba perfecto. Empecé a correr y la cometa se elevó y voló muy alto en el cielo.

Mi cometa es la que está allá arriba. Es la que está rasgada y enredada en las ramas del árbol. ¡Éste ha sido un día terrible!

Nombre _____

Preguntas sobre *La cometa de Margarita*

1. ¿Qué clase de cometa quería Margarita?

   _____

2. ¿Qué compró Margarita para hacer la cometa?

   _____

3. ¿Por qué Margarita tuvo que cerrar con llave la puerta?

   _____

4. ¿Cómo crees que quedó atrapada la cometa entre las ramas?

   _____

5. ¿Cómo se sintió Margarita cuando la cometa se estrelló contra el árbol?

   _____

   _____

6. ¿Qué piensas que va a suceder después?

   _____

   _____

¿Cómo se sintió Margarita?

Encierra con un círculo la cara que muestra cómo se sintió Margarita.

☺ ☹ 1. ganó dinero

☺ ☹ 2. corrió a la papelería

☺ ☹ 3. se atoró la cometa en el árbol

☺ ☹ 4. la cometa se elevó y voló en el cielo

☺ ☹ 5. Mamá le dijo que debía ganar dinero

☺ ☹ 6. la cometa estaba arruinada

☺ ☹ 7. estaba haciendo la cometa

☺ ☹ 8. su hermanito quería ayudarla

Nombre _____

¿Cuál es el significado?

Encierra en un círculo la letra que corresponde al significado de la palabra en **negrilla**.

1. ¿Cómo se movió Margarita cuando **corrió a toda prisa** hacia el parque?

   a. corrió a gran velocidad
   b. caminó rápidamente
   c. manejó un carro

2. ¿Qué se puede comprar en una **ferretería**?

   a. comida
   b. cuadros
   c. materiales para construír

3. ¿Qué se hace cuando se **corta** el césped?

   a. se poda
   b. se riega
   c. se siembra

4. ¿Qué parte del árbol es una **rama**?

   a. la parte debajo de la tierra
   b. la parte que sostiene al árbol
   c. la parte donde crecen las hojas

5. ¿Cuál es el significado de **ganar** dinero?

   a. recibir dinero por hacer un trabajo
   b. pedir dinero
   c. sacar dinero del banco

Dibuja una cometa volando muy alto en el cielo.

Nombre _____

¿Qué pasó después?

Haz un dibujo que muestre la siguiente cosa que sucedió.

Popcorn

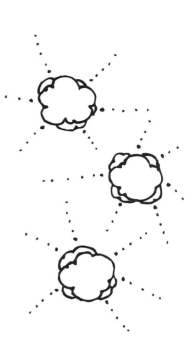

Get out the oil.
Pour some in the pot.
Plop go the kernels.
Now, wait until it's hot!

Pop goes the first kernel.
Pop goes the next.
Then pop, pop...explosion.
There go all the rest!

Think about how popcorn kernels look before they are cooked. How do hard, little, yellow kernels turn into tasty white puffs?

When you cook popcorn, the kernels get very hot. Water inside the kernels gets so hot it turns to steam. The hard cover of the kernel keeps the steam in. The steam pushes the hard cover trying to get out. At last, the steam pops the cover open. Now you have fluffy puffs of popcorn.

Add a little melted butter and some salt. Snack time!

Name _____

Questions about *Popcorn*

1. How are uncooked popcorn and cooked popcorn different?

   Uncooked popcorn _____

   Cooked popcorn _____

2. What happens to the water in a popcorn kernel when it gets hot?

   _____

   _____

3. How does steam make the kernels pop?

   _____

   _____

4. Why is this kind of corn called popcorn?

   _____

Draw:

uncooked popcorn	cooked popcorn

Name _____

What Happened Next?

Cut out the sentences.
Glue them in order.
Draw pictures in the boxes.
Read the poem.

Plop go the kernels.
Now, wait until it's hot!

Get out the oil.
Pour some in the pot.

Pop goes the first kernel.
Pop goes the next.

Then pop, pop...explosion.
There go all the rest!

Name _____

Popcorn Puzzle

Find the mystery word hiding in the puzzle.

1. break open
2. bubble up and give off steam
3. a sudden bursting
4. the outside of a kernel
5. something to cook in
6. not soft
7. one bit of popcorn

Word Box
- kernel
- explosion
- pop
- cover
- boil
- pot
- hard

The mystery word is _____.

Palomitas de maíz

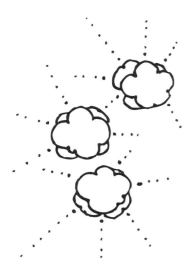

El aceite en la olla
comienza a calentar.
Pon los granos de maíz,
y luego a esperar.

Revienta el primer grano
con tremenda explosión.
Revienta otro, luego otro.
¡Esto sí que es reventón!

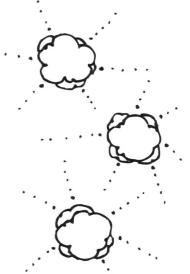

Imagina cómo se ven los granos de las palomitas de maíz antes de cocinarlos. ¿Cómo es que estos pequeños granos amarillos tan duros se convierten en sabrosas palomitas blancas?

Cuando cocinas palomitas de maíz, los granos se ponen muy calientes. El agua adentro de los granos se pone tan caliente que se convierte en vapor. La dura cubierta del grano mantiene el vapor adentro. El vapor empuja contra la cubierta intentando salir. Al final la cubierta se abre cuando el vapor la hace estallar. Ahora tienes esponjosas palomitas de maíz.

Agrégales un poco de mantequilla derretida y algo de sal y ¡a disfrutarlas!

©2005 by Evan-Moor Corp. • Read & Understand English/Spanish • EMC 5308

Nombre _____

Preguntas sobre *Palomitas de maíz*

1. ¿En qué se diferencian las palomitas de maíz crudas de las cocidas?

   Las palomitas de maíz crudas _____

   Las palomitas de maíz cocidas _____

2. ¿Qué le pasa al agua dentro del grano de maíz cuando se calienta?

   _____

   _____

3. ¿Cómo hace el vapor estallar al grano?

   _____

   _____

4. Al final ¿en qué se convierten los granos?

   _____

Dibuja:

palomitas de maíz crudas	palomitas de maíz cocidas

Nombre _____

¿Qué sucedió después?

Recorta las frases.
Pégalas en orden.
Haz un dibujo para cada cuadro.
Lee el poema.

Pon los granos de maíz, y luego a esperar.	El aceite en la olla comienza a calentar.
Revienta el primer grano con tremenda explosión.	Revienta otro, luego otro. ¡Esto sí que es reventón!

Nombre _____

Palabras sobre palomitas

Encuentra la palabra escondida en el crucigrama.

1. un estallido
2. cocinas las palomitas en este líquido
3. con una temperatura alta
4. perol para cocinar
5. elote
6. explota
7. parte de afuera del grano
8. una forma de agua
9. se usa para dar sabor y sazón

Palabras

aceite
caliente
cubierta
explosión
maíz
olla
revienta
sal
vapor

La palabra escondida es _____.

Name Day

Do you have a party on your birthday? If you lived in Greece, you would have another party day. It is called Name Day. Read this story to find out what happens on Name Day.

Church bells were ringing all over Athens. Eleni jumped out of bed and ran to the window to listen. She was very happy. Today was her Name Day.

Eleni ran to the telephone to call her grandmother.

"Happy Name Day, Grandmother," said Eleni. It was her grandmother's Name Day, too! They were both named Eleni.

"Eleni, get dressed and come eat your breakfast," called her mother. It is almost time for school."

"Happy Name Day, Eleni," shouted all of her friends at school. Eleni had a surprise for her teacher—a big box of candy! She had more candy to share with her classmates.

As soon as school was out, Eleni ran to Grandmother's house. When she got there, the house was filled with family and friends. Everyone had come to help Eleni and Grandmother celebrate their special day.

"Come here, Eleni," called Grandmother. "I have a gift for you. My mother gave me this when I was just your age. Now it is for you."

"Thank you, Grandmother," whispered Eleni. Her eyes sparkled as she looked at her gift.

"Now, Eleni, it's time for the party," said Grandmother.

There were many good things to eat, and then singing and dancing. Name Day was fun for everyone.

Name _____

Questions About *Name Day*

1. Where did Eleni live?

   _____

2. Why did Eleni call her grandmother before she went to school?

   _____

3. What did she take to her classmates?

   _____

4. Where was the Name Day party?

   _____

5. Why was the Name Day party fun for everyone?

   _____

6. Why did the gift from Grandmother make Eleni so happy?

   _____

7. How is a Name Day party like a birthday party?

   _____

   _____

List two things that made Eleni happy.

1. _____

2. _____

Name _____

What Does It Mean?

Write the word on the line.

whisper	classmates
Athens	sparkle
celebrate	candy

1. in the same class   _____

2. to speak softly   _____

3. a sweet snack   _____

4. a city in Greece   _____

5. to have a party   _____

6. to shine   _____

Who Owns It?

Add **'s** to these names.
Draw a line to what they own.

Eleni_**'s**__ gift

Sam____ bike

Raul____ dog

Ann____ book

Lee____ hat

Will____ ball

Name _____

Family Celebrations

Eleni's family celebrates Name Day.
List the days your family celebrates.

_____   _____

_____   _____

_____   _____

This is my family celebrating _____.

We _____

_____

El Día del nombre

¿Tienes una fiesta el día de tu cumpleaños? Si vivieras en Grecia tendrías otro día de fiesta. Se llama el Día del nombre. Lee esta historia para averiguar qué sucede el Día del nombre.

Por todo Atenas sonaban las campanas de las iglesias. Eleni saltó de la cama y corrió a la ventana para escucharlas. Ella estaba muy contenta. Hoy era el Día del nombre para ella.

Eleni corrió al teléfono para llamar a su abuela.

"Feliz Día del nombre, Abuela," dijo Eleni. ¡También era el Día del nombre de su abuela! Ambas se llamaban Eleni.

"Eleni, vístete y ven a desayunar," la llamó su madre. "Es casi hora de ir a la escuela."

"Feliz Día del nombre, Eleni," gritaron todos sus amigos en el colegio. Eleni tenía una sorpresa para su profesora—¡una gran caja de dulces! También tenía dulces para compartir con sus compañeros de clase.

Tan pronto como terminó la escuela, Eleni corrió a la casa de su abuela. Cuando llegó, la casa estaba llena de familiares y amigos. Todos habían ido a celebrar con Eleni y su abuela su día especial.

"Ven acá, Eleni," la llamó su abuela. "Tengo un regalo para ti. Mi madre me lo dio esto cuando tenía tu edad. Ahora es tuyo."

"Gracias, Abuela," murmuró Eleni. Sus ojos brillaban mientras observaba su regalo.

"Ahora, Eleni, es hora de disfrutar la fiesta," dijo la abuela.

Había muchas cosas ricas para comer, luego hubo cantos y bailes. El Día del nombre fue divertido para todos.

Nombre _____

Preguntas sobre el *El Día del nombre*

1. ¿Dónde vivía Eleni?

   _____

2. ¿Por qué llamó Eleni a su abuela antes de ir a la escuela?

   _____

3. ¿Qué les llevó a sus compañeros de clase?

   _____

4. ¿Dónde fue la fiesta del Día del nombre?

   _____

5. ¿Por qué era tan divertida para todo el mundo la fiesta del Día del nombre?

   _____

6. ¿Por qué estaba tan feliz Eleni con el regalo de la abuela?

   _____

7. ¿En qué se parece una fiesta del Día del nombre a una fiesta de cumpleaños?

   _____

   _____

Escribe dos cosas que alegraron a Eleni.

1. _____

2. _____

Nombre _____

¿Qué significa?

Escribe la palabra correcta en cada línea.

murmurar	compañeros
Atenas	brillante
celebrar	dulces

1. en la misma clase _____

2. hablar suavemente _____

3. una golosina rica _____

4. una ciudad de Grecia _____

5. tener una fiesta _____

6. luminoso _____

¿A quién pertenecen?

Escribe el artículo correcto: **el** o **la**
Haz una línea para conectar la frase con el objeto correcto.

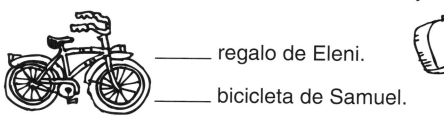

_____ regalo de Eleni.

_____ bicicleta de Samuel.

_____ perro de Raúl.

_____ libro de Ana.

_____ gorra de Leonardo.

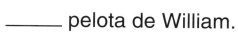

_____ pelota de William.

Nombre _____

Celebraciones en familia

La familia de Eleni celebra el Día del nombre.
Haz una lista de los días que celebra tu familia.

_____   _____

_____   _____

_____   _____

Ésta es mi familia celebrando _____

Nosotros _____

_____

The Lion and the Mouse

One hot afternoon, a large lion was napping in the shade. A small mouse was looking for a bite of lunch. He ran across the lion's paw. The mouse didn't see danger until it was too late. He was caught in the lion's paw.

"Please don't eat me," begged the little mouse. "Let me go and someday I will repay you."

"How can a little thing like you ever help the King of Beasts?" But the lion let the little mouse go.

A few weeks later, the unhappy lion was trapped in a hunter's net. He roared as he tried to break the strong ropes.

The little mouse heard the lion's loud roars. The mouse thought, "That is the lion that let me go. I must see if I can help him."

The mouse rushed to where the lion was caught. He began to gnaw on the ropes. Before long, the lion was free.

"See, I told you I would repay you some day," said the mouse. "Even a tiny mouse can sometimes help the King of Beasts."

Name _____

Questions About *The Lion and the Mouse*

1. Who is this story about?

   _____

2. How did the mouse get caught by the lion?

   _____

3. Where was the lion trapped?

   _____

4. How did the mouse help the lion?

   _____

5. Why do you think the lion let the mouse go?

   _____

6. Why did the mouse help the lion?

   _____

Draw a lion.	Draw a mouse.

Name _____

What Happened Next?

Write the sentences in order.

1. _____

2. _____

3. _____

4. _____

> The lion was caught.
> The lion let the mouse go.
> The mouse was caught.
> The mouse let the lion go.

Lion, Mouse, or Both?

Think about the lion and the mouse.
Write the words that tell...

    about the lion.
    about the mouse.
    about both of them.

The lion was...	The mouse was...	They both were...
_____	_____	_____
_____	_____	_____
_____	_____	_____
large	small	hungry
helpful	brave	trapped
in danger	unhappy	loud

Name _____

What Does It Mean?

Write words under the pictures.
You will not use all of the words.

lunch	King of Beasts	net
trapped	afternoon	roared
gnaw	shade	hunter

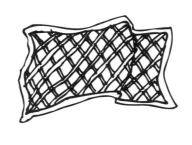

_____

_____

_____

_____

_____

_____

Write sentences with three of the words.

1. _____

2. _____

3. _____

El león y el ratón

Una tarde calurosa, un león de gran tamaño tomaba una siesta en la sombra. Muy cerca, un ratoncito buscaba algo para su almuerzo. Corrió por encima de la pata del león. El ratón no vió el peligro hasta que fue muy tarde. Quedó atrapado en las garras del león.

"Por favor no me comas," le rogó el ratoncito. "Déjame ir y un día te recompensaré."

"¿Cómo un ser tan pequeño como tú podría ayudar al rey de las bestias?" Sin embargo, el león soltó al ratoncito.

Unas semanas más tarde, el infeliz león se encontraba atrapado en la red de un cazador. Rugía mientras intentaba romper las fuertes cuerdas.

El ratoncito escuchó los fuertes rugidos del león. El ratón pensó, "Ése es el león que me soltó. Debo ver si lo puedo ayudar."

El ratoncito corrió hasta donde se encontraba el león atrapado. Comenzó a roer las cuerdas. Al poco tiempo el león estaba libre.

"Ves, te dije que te recompensaría algún día," dijo el ratón. "Hasta el más pequeño y humilde ratoncito puede ayudar de vez en cuando al rey de las bestias."

Nombre _____

Preguntas sobre *El león y el ratón*

1. ¿De qué se trata la historia?

   _____

2. ¿Cómo quedó atrapado el ratón por el león?

   _____

3. ¿Qué atrapó al león?

   _____

4. ¿Cómo ayudó el ratón al león?

   _____

5. ¿Por qué crees que el león dejó libre al ratón?

   _____

6. ¿Por qué ayudó el ratón al león?

   _____

Dibuja un león.	Dibuja un ratón.

Nombre _____

¿Qué sucedió después?

Escribe las frases en orden.

1. _____

2. _____

3. _____

4. _____

El león fue capturado.
El león dejó libre al ratón.
El ratón quedó atrapado.
El ratón liberó al león.

¿León, ratón o ambos?

Piensa en el león y el ratón.
Escribe las palabras que describen…
    al león.
    al ratón.
    a ambos.

El león…	El ratón…	Ambos…
_____	_____	_____
_____	_____	_____
_____	_____	_____

era grande	era pequeño	estaba hambriento
eran serviciales	era valiente	estaban atrapados
estaban en peligro	era infeliz	era ruidoso

Nombre _____

¿Qué significa?

Escribe la palabra que corresponde a cada dibujo.

No usarás todas las palabras.

merienda	rey de las bestias	red
atrapado	tarde	rugido
roer	sombra	cazador

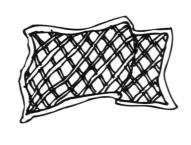

_____   _____   _____

_____   _____   _____

Escoge tres palabras y usa cada una en una oración.

1. _____

2. _____

3. _____

The Best Birthday Ever

"Wake up, Ray," called Mother. "It's time to get up. You don't want to miss the train."

It was Ray's birthday. Today he turned eight years old. He was going with his best friends to visit Mr. Porter's farm.

Ray got dressed and ran downstairs to eat his birthday breakfast.

While he was eating, Connie and Jacob came bouncing in. They were ready to go to the farm.

Jacob grabbed Ray's arm and started to pull him out the door.

"Don't be such a slowpoke. It's time to go. I don't want be late. This is the first time I get to ride a train."

The children jumped into Dad's jeep. He drove them to the station and put them on the train. Then he spoke to the conductor.

"Will you see that the children get off at Dayton?" he asked the conductor. "Mr. Porter will be meeting them." The conductor agreed to look after the children.

As the train pulled into Dayton, the children could see Mr. Porter. He helped them off the train and said, "I have a lot planned for Ray's birthday. I think you will all have a good time."

Ray, Connie, and Jacob hopped into the pickup truck. Away they went to the farm.

Mr. Porter was right. Everywhere they looked, there was something fun to do. They painted the fence. They helped feed the farm animals and tried to milk a cow. They took turns riding a gentle old horse. They had a great day.

"Let's go to the lake," said Mr. Porter. "You can ride in the hay wagon."

"Look at that!" shouted Ray. "There's Mom! And Dad and Mrs. Porter are there, too."

What a surprise! A birthday party was set up by the lake. A birthday cake with eight candles, hamburgers, chips, and grape soda—all the things Ray liked best.

It was the best birthday Ray had ever had.

Name _____

Questions About *The Best Birthday Ever*

1. Where did Ray go on his birthday?

_____

2. Who went with him?

_____

3. What five things did the children ride?

_____   _____   _____

_____   _____

4. What did Dad ask the train conductor to do?

_____

_____

5. Why did Ray think this was his best birthday?

_____

Who Said It?

"Wake up, Ray," said _____.

"Don't be such a slowpoke," said _____.

"I think you will all have a good time," said _____.

"Look at that!" shouted _____.

"Mr. Porter will be meeting them," said _____.

Name _____

What Came First?

Cut out the sentences.
Paste them in order.

1.

2.

3.

4.

5.

6.

"Wake up, Ray. It's time to get up," said Mother.

The children had fun painting the fence.

Dad drove the children to the train.

While Ray was eating breakfast,
Connie and Jacob came in.

A surprise birthday party was set up
by the lake. Ray had a good time.

Ray, Connie, and Jacob rode in the hay wagon.

Name _____

Happy Birthday, _____
Write your name here.

What was the best birthday party you have had?
Tell these things:

Who came to the party?

_____

What did you eat?

_____

What did you do?

_____

_____

Why was it the best party?

_____

_____

Draw you at your best birthday party.

_____
| |
| |
| |
| |
| |
| |
|_____|

El mejor cumpleaños

"Despierta, Ramón," dijo Mamá. "Es hora de levantarse. No vayas a perder el tren."

Era el cumpleaños de Ramón. Hoy cumplía ocho años. Él iba con sus amigos a visitar la granja del señor Posada.

Ramón se vistió y bajó corriendo a comerse su desayuno de cumpleaños.

Mientras comía, Pati y Sergio entraron dando brincos. Estaban listos para ir a la granja.

Sergio cogió del brazo a Ramón y comenzó a jalarlo hacia la puerta de salida.

"No seas tan lento. Es hora de irnos. No quiero llegar tarde. Es la primera vez que voy a montar en tren."

Los niños se subieron al coche de Papi quien los llevó hasta la estación y los montó en el tren. Luego le habló al conductor.

"¿Se puede asegurar de que los niños se bajen en Daitona?" le preguntó al conductor. "El señor Posada los va a recibir." El conductor aceptó cuidar a los niños.

Cuando el tren llegó a la estación de Daitona, los niños vieron al señor Posada. Él los ayudó a bajarse del tren y les dijo, "Tengo muchos planes para el cumpleaños de Ramón. Creo que todos van a pasar un buen rato."

Ramón, Pati y Sergio saltaron a la camioneta y todos partieron directo hacia la granja.

El señor Posada tenía razón. Dondequiera que miraban, había algo divertido para hacer. Pintaron el gallinero. Ayudaron a alimentar los animales de la granja e intentaron ordeñar la vaca. Tomaron turnos para montar un noble y viejo caballo. Tuvieron un día estupendo.

"Vamos al lago," dijo el señor Posada. "Pueden montar en el vagón del heno."

"¡Miren!" gritó Ramón."¡Ahí está Mamá! Y Papi y la señora Posada también."

¡Que sorpresa! Allí a la orilla del lago estaba todo listo para una fiesta de cumpleaños. Un pastel de cumpleaños con ocho velas, hamburguesas, papas fritas, y soda de uva—las cosas que más le gustaban a Ramón.

Fue el mejor cumpleaños que había tenido en su vida.

Nombre _____

Preguntas sobre *El mejor cumpleaños*

1. ¿A dónde fue Ramón en su cumpleaños?

   _____

2. ¿Quiénes fueron con él?

   _____

3. ¿Cuáles fueron las cinco cosas en las que montaron?

   _____   _____   _____

   _____   _____

4. ¿Qué le pidió Papi al conductor del tren?

   _____

   _____

5. ¿Por qué piensa Ramón que éste fue el mejor cumpleaños de su vida?

   _____

   _____

¿Quién lo dijo?

"Despierta Ramón," dijo _____.

"No seas tan lento," dijo _____.

"Creo que todos van a pasar un buen rato," dijo _____.

"¡Miren!" dijo _____.

"El señor Posada los va a recibir," dijo _____.

Nombre _____

¿Cuál viene primero?

Recorta las frases.
Pégalas en orden.

1.

2.

3.

4.

5.

6.

"Despierta, Ramón," dijo Mamá. "Es hora de levantarse."

Los niños se divirtieron pintando el gallinero.

Papi llevó a los niños a la estación del tren.

Mientras Ramón desayunaba, Pati y Sergio entraron.

Una fiesta sorpresa estaba arreglada cerca del lago.
Ramón tuvo el mejor cumpleaños.

Ramón, Pati y Sergio montaron en el vagón del heno.

Nombre _____

Feliz Cumpleaños, _____

Escribe tu nombre aquí.

¿Cuál fue la mejor fiesta de cumpleaños que has tenido?
Contesta las siguientes preguntas:

¿Quién fue a la fiesta?

_____

¿Qué comiste?

_____

¿Qué hiciste?

_____

_____

¿Por qué fue la mejor fiesta?

_____

_____

Dibújate en tu mejor fiesta de cumpleaños.

What's for Lunch?

I have a goat.
What a funny pet.
He'll eat anything
He can get.

   crunchy hay
   modeling clay
   Grandpa's socks
   moss on rocks
   leaves on trees
   beans and peas
   labels on cans
   greasy pans

Watch him lick.
Watch him munch.
He thinks anything's
A good lunch.

Name _____

Questions About *What's for Lunch?*

1. What kind of animal is the funny pet?

   _____

2. Tell three things the goat likes to eat.

   _____

   _____

   _____

3. What does the goat think is a good lunch?

   _____

4. Why do you think the poem calls the goat **funny**?

   _____

5. Where do you think this pet goat lives?

   _____

Draw a picture of the goat eating lunch.

```




```

Name _____

Lunchtime!

Read the list.
Write the words in the boxes.

Good for Lunch	**Not for Lunch**
1. _____	1. _____
2. _____	2. _____
3. _____	3. _____
4. _____	4. _____
5. _____	5. _____
6. _____	6. _____

sandwich	apple	box
milk	sock	cookie
soup	chicken	mitten
bed	grass	mouse

Draw the lunch you like best.

Name _____

Real or Make-Believe?

What's for Lunch? is a poem about a make-believe goat that eats anything. Real goats chew and lick many things, but they usually eat plants.

Circle the things a real goat would eat.
Make an **X** on things a real goat would <u>not</u> eat.

green grass	hay	Grandpa's socks
leaves on trees	apples	tin can
bedroom slipper	little rocks	carrot sticks

Connect the dots to see what this make-believe goat is eating.

¡A comer!

Yo tengo un chivo,
un animal chistoso.
Come cualquier cosa.
¡Qué escandaloso!

come zacate
también calcetines
muerde aguacates
traga chapulines
papel y latas
ollas con grasa
tazas de nata
tortillas y masa

Todo lo come.
o intenta lamer.
Cree que todito
¡es para comer!

Nombre _____

Preguntas sobre ¡A comer!

1. ¿Qué tipo de animal es el animal chistoso?

_____

2. Nombra tres cosas que al chivo le gusta comer.

_____

_____

_____

3. ¿Qué cree el chivo que es bueno para comer?

_____

4. ¿Por qué crees que el verso describe al chivo como **chistoso**?

_____

5. ¿Dónde crees que vive el chivo?

_____

Haz un dibujo del chivo comiendo.

_____

Nombre _____

¡A comer!

Lee la lista.
Escribe las palabras en la parte correcta.

Sí se come	No se come
1. _____	1. _____
2. _____	2. _____
3. _____	3. _____
4. _____	4. _____
5. _____	5. _____
6. _____	6. _____

emparedado   manzana   cartón
leche   calcetín   galleta
sopa   pollo   mitón
cama   hierba   ratón

Dibuja el almuerzo que más te gusta.

Nombre _____

¿Realidad o fantasía?

"¡A comer!" es un verso sobre un chivo imaginario que come de todo. Los chivos de verdad mastican y lamen muchas cosas, pero normalmente comen plantas.

Encierra en un **círculo** las cosas que un chivo verdadero comería. Pon una **X** en las cosas que un chivo verdadero <u>no</u> comería.

hierba verde	zacate	calcetines
hojas de los árboles	manzanas	ollas con grasa
chancletas	pequeñas piedras	zanahorias

Conecta los puntos para ver lo que este chivo de fantasía está comiendo.

Let's Make Cookies

Mark and Art had been playing in the backyard for a long time.

"I want a snack," said Mark. "Let's go get some cookies and milk." Mark loved big, crunchy oatmeal cookies.

The boys looked in the cookie jar, but all the cookies were gone.

"Let's make some," said Mark. After all, he had watched Mom make cookies. It didn't look so hard.

Mark got a box of oatmeal from the cupboard. He got eggs from the refrigerator. Art found the big mixing bowl and a spoon.

Mark broke two eggs into the bowl. He stirred them up just like he had seen his mother do. Art had just started to put in the oatmeal when Mom came in from the garden.

"Just a minute, boys," Mom said. "You need a recipe to make good oatmeal cookies. I'll get it for you. You will need a few more ingredients, too."

"What's a recipe?" asked Art. "And what are ingredients?"

"A recipe tells you how to make something," explained Mom. "Ingredients are the things you use to make things to eat."

Mom read the recipe as the boys measured and mixed the dough. When the cookies were in the oven, they all helped clean up the messy kitchen.

"Making cookies is hard work!" said Art. "I think we need a snack." They each had three warm cookies and a big glass of cold milk.

Name _____

Questions About *Let's Make Cookies*

1. Where were Mark and Art playing?

   _____

2. Why did the boys start to make cookies?

   _____

3. Tell three ways Mom helped the boys.

   _____

   _____

   _____

4. Why do cooks need recipes?

   _____

   _____

5. What do you think would have happened if Mom had not come home?

   _____

   _____

Name _____

Cookies

Number the steps in order.

_____ Read the recipe.

_1_ The cookie jar is empty.

_____ Clean up the kitchen.

_____ Mix the cookie dough.

_____ Get oatmeal, a bowl, and eggs.

_____ Eat cookies and drink milk!

_____ Bake the cookies.

What Did I Say?

Look in the story to see who spoke.
Match each character to what that person said.

"You need a recipe."

Mark   "Making cookies is hard work!"

Mom   "I want a snack."

Art   "Just a minute."

"What are ingredients?"

"Let's make some."

Name _____

Cooking Crossword

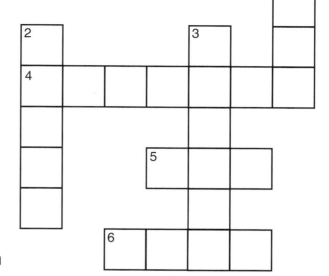

Word Box
- bowl
- dough
- mix
- oatmeal
- oven
- recipe

Across

4. kind of cereal
5. stir in
6. place to bake

Down

1. a dish
2. unbaked cookies
3. cooking steps

Use these words in sentences.

refrigerator   ingredients   cupboard   recipe

1. _____

_____

2. _____

_____

3. _____

_____

4. _____

_____

Hagamos galletas

Mateo y Arturo habían estado jugando toda la tarde en el patio trasero.

"Quiero una merienda," dijo Mateo. "Vamos por unas galletas con leche." A Mateo le encantaban las galletas de avena.

Los niños miraron en el tarro de galletas, pero no había ni una.

"Hagamos galletas," dijo Mateo. Después de todo, había visto a Mamá hacerlas. No se veía tan difícil.

Mateo sacó de la alacena la caja de avena. Cogió unos huevos de la nevera. Arturo encontró un tazón grande para mezclar y una cuchara.

Mateo quebró dos huevos dentro del tazón. Los batió de la misma manera como veía hacerlo a su mamá. Arturo estaba echando la harina cuando entro Mamá del jardín.

"Un momento, muchachos," dijo Mamá. "Necesitan una receta para hacer unas buenas galletas de avena. Les voy a traer una. Van a necesitar otro poco de ingredientes."

"¿Qué es una receta?" pregunto Arturo. "¿Y qué son ingredientes?"

"Una receta te dice cómo hacer algo," explicó Mamá. "Los ingredientes son los componentes que utilizas para hacer algo de comer."

Mamá iba leyendo la receta mientras los niños medían y mezclaban la masa. Cuando las galletas estuvieron en el horno, todos ayudaron a limpiar el desorden en la cocina.

"¡Hacer galletas es un trabajo duro!" dijo Arturo. "Creo que necesitamos una merienda." Cada uno tomó tres galletas calientes y un gran vaso de leche fría.

Nombre _____

Preguntas sobre _Hagamos galletas_

1. ¿En dónde habían estado jugando Mateo y Arturo?

   _____

2. ¿Por qué comenzaron a hacer galletas los niños?

   _____

3. Anota tres cosas que hizo Mamá para ayudar a los niños.

   _____

   _____

   _____

4. ¿Por qué los cocineros necesitan recetas?

   _____

   _____

5. ¿Qué crees que hubiera sucedido si Mamá no hubiera entrado a la cocina?

   _____

   _____

Nombre _____

Galletas

Indica el orden de los pasos con números.

____ Se lee la receta.

1 Se ve que el tarro de galletas está vacío.

____ Se limpia la cocina.

____ Se mezcla la masa.

____ Se saca la avena, un tazón y huevos.

____ Se comen las galletas y se toma leche.

____ Se meten las galletas al horno.

¿Quién lo dijo?

Lee la historia para ver quién lo dijo.
Traza una línea entre el personaje y sus palabras.

"Necesitan una receta"

"¡Hacer galletas es un trabajo duro!"

Mateo

"Quiero una merienda"

Mamá

"Un momento"

Arturo

"¿Qué son ingredientes?"

"Hagamos galletas"

Nombre _____

Crucigrama de cocina

Palabras

avena
masa
mezclar
nevera
receta
tazón

Horizontales

4. donde guardas cosas frías
5. batir
6. un tipo de cereal

Verticales

1. galletas crudas
2. pasos para cocinar
3. trasto de cocina

Usa cada palabra en una oración.

horno   ingredientes   alacena   receta

1. _____

_____

2. _____

_____

3. _____

_____

4. _____

_____

The Gingerbread Man

Once upon a time, there was a little old woman. She lived in a small cottage with her old husband. They had a tiny dog and a wee cat. One day, she made a big gingerbread man for her husband. He loved warm gingerbread. She put it into the oven to bake.

Much to the old woman's surprise, the gingerbread man jumped out of the oven. He looked at the old woman and the old man. He looked at the tiny dog and the wee cat. Then, quick as a wink, he ran out the door and down the road.

The old woman and the old man ran after the gingerbread man. They could not catch him. The tiny dog and the wee cat ran after the gingerbread man. They could not catch him. The gingerbread man shouted,

"Run, run, as fast as you can.

You can't catch me,

I'm the gingerbread man."

The gingerbread man ran on and on. He ran away from a horse and a cow resting in a field. He ran away from a farmer working in the cornfield. Horse, cow, and farmer all chased the gingerbread man. Not one of them could catch him. The gingerbread man shouted,

"Run, run, as fast as you can.

You can't catch me,

I'm the gingerbread man."

The gingerbread man came to a wide river. He had to go across the water to get away. As he stood by the river, along came a hungry fox. The fox said,

"I will take you across the river. Just jump up on my back." The gingerbread man did.

The fox went into the river. As he went deeper into the water, the gingerbread man jumped up on the fox's head. Quick as a wink, the fox gobbled up the gingerbread man.

"What a tasty snack," said the fox with a smile.

Name _____

Questions About *The Gingerbread Man*

1. Who lived in the small cottage?

_____

2. Why did the old woman make the gingerbread man?

_____

3. What word tells how the old woman felt when the gingerbread man jumped out of the oven?

_____

4. Why did the gingerbread man stop at the river?

_____

5. How did the fox trick the gingerbread man?

_____

_____

6. Name two ways you can you tell this story is make-believe.

_____

_____

Think About It
Pretend you are a smart gingerbread man.
Think of a way to get across the river.
Get a sheet of paper and draw a picture to show what you would do.

Name _____

What Happened Next?

Number the sentences in order.

_____ The gingerbread man ran out of the house.

_____ A horse, a cow, and a farmer chased the gingerbread man.

1 The old woman made a gingerbread man.

_____ The fox went deeper and deeper into the water.

_____ The old woman and the old man ran after the gingerbread man.

_____ The gingerbread man jumped on the fox's head.

_____ The fox gobbled up the gingerbread man.

People or Animals?

Put these characters in the correct place.

old woman   cat and dog
fox   horse and cow
farmer   old man
gingerbread man

People   **Animals**

1. _____   1. _____

2. _____   2. _____

3. _____   3. _____

Where does the gingerbread man belong? Why?

_____

Name _____

What Does It Mean?

Circle the answer.

1. What would you do with a **cottage**?
   - a. eat it
   - b. wear it
   - c. live in it

2. What would you find in a **pasture**?
   - a. shop
   - b. cow
   - c. train

3. What do you do if you **gobble** up something?
   - a. play with it
   - b. eat it
   - c. draw on it

4. What is a **husband**?
   - a. a married man
   - b. a small boy
   - c. a fast runner

5. How fast would **quick as a wink** be?
   - a. a minute
   - b. a long time
   - c. a really short time

6. Find three words in the story that mean **not very big**.

   _____ _____ _____

7. Write a pronoun for each noun.

   cat and dog _____   old woman _____

   farmer _____   gingerbread man _____

El hombrecito de galleta

Había una vez una pobre viejecita. Ella vivía en una pequeña choza con su marido viejecito. Ellos tenían un perro diminuto y un gato pequeñito. Un día ella hizo una gran galleta en forma de un hombrecito para su marido. A él le encantaban las galletas calientes. Ella metió la galleta al horno para hornearla.

Ante la sorpresa de la viejecita, el hombrecito de galleta saltó del horno. Miró a la viejecita y al viejecito. Miró al perro diminuto y al gato pequeñito. Luego, en un abrir y cerrar de ojos, salió corriendo de la casa y se fue por el camino.

La viejecita y el viejecito corrieron detrás del hombrecito de galleta. No pudieron alcanzarlo. El perro diminuto y el gato pequeñito persiguieron al hombrecito de galleta. Tampoco pudieron alcanzarlo. El hombrecito de galleta gritó,

"Corran, corran.

Agárreme quien pueda.

No me alcanzan,

soy el hombrecito de galleta."

El hombrecito de galleta corrió y corrió. Se le escapó a un caballo y a una vaca que descansaba en la pradera. Se le escapó a un granjero que trabajaba en un cultivo de maíz. El caballo, la vaca y el granjero persiguieron al hombrecito de galleta. Ninguno pudo atraparlo. El hombrecito de galleta gritó,

"Corran, corran.

Agárreme quien pueda.

No me alcanzan,

soy el hombrecito de galleta."

El hombrecito de galleta llegó hasta un ancho río. Tenía que cruzar el agua para poder escapar. Mientras estaba parado frente al río, llegó un zorro hambriento. El zorro le dijo,

"Yo te ayudo a cruzar el río. Súbete en mi lomo." Y así lo hizo el hombrecito de galleta.

El zorro se metió al río. A medida que entraba más al agua, el hombrecito de galleta saltó sobre la cabeza del zorro. En un abrir y cerrar de ojos, el zorro se tragó al hombrecito de galleta.

"Qué bocadillo más sabroso," dijo sonriendo el zorro.

Nombre _____

Preguntas sobre *El hombrecito de galleta*

1. ¿Quiénes vivían en la pequeña choza?

   _____

2. ¿Por qué la viejecita hizo el hombrecito de galleta?

   _____

3. ¿Qué palabra describe lo que sintió la viejecita cuando el hombrecito de galleta saltó del horno?

   _____

4. ¿Por qué el hombrecito de galleta se detuvo ante el río?

   _____

5. ¿Cómo engañó el zorro al hombrecito de galleta?

   _____

   _____

6. Anota dos cosas que te dicen que esta historia no es verdadera.

   _____

   _____

Piénsalo

Imagina que eres un hombrecito de galleta muy listo.

Piensa en una manera de atravesar el río.

Dibuja en una hoja lo que tú harías.

Nombre _____

¿Qué sucedió después?

Indica el orden de las oraciones con los números del 1 al 7.

_____ El hombrecito de galleta salió corriendo de la casa.

_____ El caballo, la vaca y el granjero persiguieron al hombrecito de galleta.

__1__ La viejecita hizo un hombre de galleta.

_____ El zorro se fue metiendo más y más al agua.

_____ La viejecita y el viejecito corrieron detrás del hombrecito de galleta.

_____ El hombrecito de galleta saltó sobre la cabeza del zorro.

_____ El zorro se tragó al hombrecito de galleta.

¿Personas o animales?

Organiza los personajes en la categoría apropiada.

viejecita   perro y gato
zorro   caballo y vaca
granjero   viejecito
hombre de galleta

Personas   **Animales**

1. _____   1. _____

2. _____   2. _____

3. _____   3. _____

¿En qué categoría va el hombrecito de galleta? Explica tu respuesta.

_____

_____

Nombre _____

¿Qué significa?

Encierra en un círculo la letra con la respuesta correcta.

1. ¿Qué harías con una **choza**?
   - a. comerla
   - b. vestirte con ella
   - c. vivir en ella

2. ¿Qué podrías encontrar en la **pradera**?
   - a. tiendas
   - b. vacas
   - c. trenes

3. ¿Qué haces cuando **tragas** algo?
   - a. juegas con él
   - b. te lo comes
   - c. dibujas en él

4. ¿Qué es un **marido**?
   - a. un hombre casado
   - b. un niño pequeño
   - c. un corredor veloz

5. ¿Qué tan rápido puede ser un **abrir y cerrar** de ojos?
   - a. un minuto
   - b. un rato largo
   - c. un tiempo muy corto

6. Busca tres palabras en la historia que signifiquen algo **no muy grande.**

   _____ _____ _____

7. Escribe el pronombre de los siguientes sustantivos.

   perro y gato _____   viejecita _____

   granjero _____   hombrecito de galleta _____

My Neighbors

Hi, my name is Jamal. That's my house over there. It's the one with the red roof and chimney. My family has lived here all my life. We like living on this block, and we like our neighbors.

Mr. and Mrs. Brown live across the street. Mr. Brown fixes cars and trucks. When my bike was broken, he fixed it for me. Mrs. Brown gives me piano lessons.

Dr. Ramirez lives down the street in the house with fir trees. She was my doctor when I was a baby. She would weigh me and measure me to see how much I was growing. She gave me shots, too.

Aunt Rose lives next door to Mr. and Mrs. Brown in the house with a porch swing. She isn't really my aunt, but she has known me ever since I was born. Aunt Rose is so old that she uses a cane when she walks. I like to help her. I take her dog for a walk every day.

Yesterday I went to the store to buy milk and bananas for her. While I was gone, she made brownies. We sat on the porch swing and ate brownies and drank milk. Aunt Rose read funny stories from the newspaper. One story was about a man whose hat blew into the gorilla cage at the zoo. The gorilla put on the man's hat and wouldn't give it back.

The best neighbor of all lives next door in the blue house. His name is Gregor. Gregor and I are in the same class at school and play on the same soccer team. Tonight I get to sleep over at Gregor's house. We are going to camp out in the backyard. His dad will put up a tent under the big tree.

Good-bye. I have to pack my bag for tonight.

Name _____

Questions About *My Neighbors*

1. How long has Jamal lived in the same house?

_____

2. Why does Jamal help Aunt Rose?

_____

3. How does Aunt Rose repay Jamal for his help?

_____

4. Who is the best neighbor? Why?

_____

5. Why does Jamal like living on his block?

_____

Who Is It?

Give the name of the person.

1. fixes cars and trucks   _____

2. is a baby doctor   _____

3. bakes brownies   _____

4. will set up a tent   _____

5. gives piano lessons   _____

6. plays soccer with Jamal   _____

Name _____

What Does It Mean?

Write the word on the line.

1. people who live
   on your block   _____

2. a tasty snack   _____

3. a stick that helps
   someone walk   _____

4. a place in front of
   the house to sit   _____

5. a wild animal   _____

6. to spend the
   night outside   _____

7. to put things you
   need in a bag   _____

8. flew away   _____

Word Box

blew
brownies
camp out
cane
gorilla
neighbors
pack
porch

Draw a picture of Jamal and Gregor camping out in the backyard.

Name _____

Jamal's Neighborhood

1. Color the houses.
2. Write Jamal's name on his house.
3. Draw a tent in the backyard of Gregor's house.
4. Put an **X** on Dr. Ramirez's house.
5. Draw Jamal on Aunt Rose's porch swing.

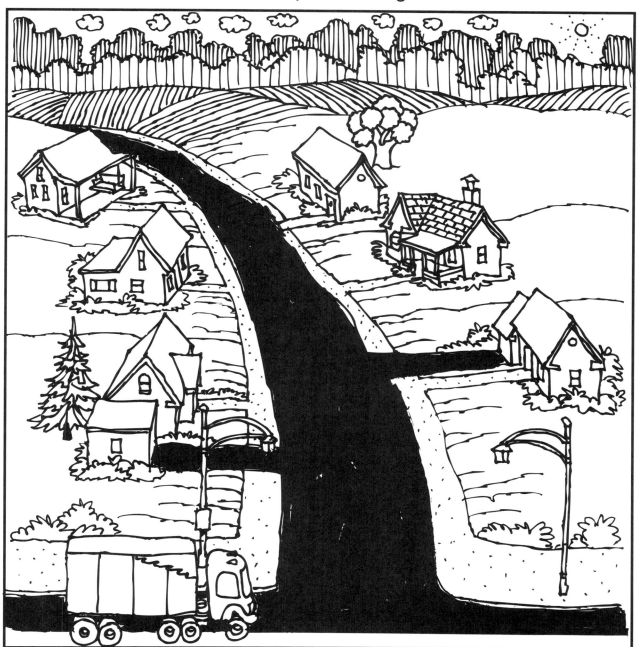

Mis vecinos

¡Hola! Me llamo Abdul. Aquella es mi casa. Es la de techo rojo y chimenea. Mi familia ha vivido aquí durante toda mi vida. Nos gusta vivir en esta cuadra y nos gustan nuestros vecinos.

La familia Pérez vive al otro lado de la calle. El Sr. Pérez arregla carros y camiones. Cuando se averió mi bicicleta, él me la arregló. La Sra. Pérez me da lecciones de piano.

La Dra. Ramírez vive calle abajo en la casa de los árboles de abeto. Ella fue mi doctora cuando era bebé. Ella me midió y me pesó para ver cuánto iba creciendo. Me puso también inyecciones.

La tía Rosa vive en la casa siguiente a la de los señores Pérez, en la casa que tiene el sofá-columpio en el pórtico. Ella no es mi tía de verdad, pero me conoce desde que nací. La tía Rosa es tan vieja que usa un bastón para caminar. Me gusta ayudarle. Saco a pasear a su perro todos los días.

Ayer fui a la tienda a comprar leche y plátanos para ella. Mientras yo andaba en eso, ella hizo bizcochos de chocolate. Nos sentamos en el sofá-columpio del porche y comimos bizcochos y tomamos leche. La tía Rosa leyó historias divertidas del periódico. Una historia era sobre un señor al que se le voló el sombrero en el zoológico. Se le fue a la jaula del gorila. El gorila se puso el sombrero y no lo quiso devolver.

El mejor de todos los vecinos vive al lado en la casa azul. Su nombre es Gregorio. Gregorio y yo estamos en la misma clase en la escuela y jugamos en el mismo equipo de fútbol. Esta noche me voy a quedar a dormir en la casa de Gregorio. Vamos a acampar en el patio de atrás. Su papá nos va a armar una carpa debajo de un gran árbol.

Hasta la vista. Tengo que empacar mi maleta para esta noche.

Nombre _____

Preguntas sobre *Mis vecinos*

1. ¿Por cuánto tiempo ha vivido Abdul en esa misma casa?

   _____

2. ¿Por qué Abdul ayuda a la tía Rosa?

   _____

3. ¿Cómo recompensó la tía Rosa a Abdul por su ayuda?

   _____

4. ¿Quién es el mejor vecino?¿Por qué?

   _____

5. ¿Por qué le gusta a Abdul vivir en su cuadra?

   _____

¿Quién es?

Escribe el nombre de la persona.

1. arregla carros y camiones   _____

2. es doctor de bebés   _____

3. hornea bizcochos de chocolate   _____

4. va a armar una carpa   _____

5. da lecciones de piano   _____

6. juega fútbol con Abdul   _____

Nombre _____

¿Qué significa?

Escribe la palabra correcta en la línea.

1. personas que viven
   en tu cuadra   _____

2. algo delicioso de comer   _____

3. un palo que le ayuda a
   alguien a caminar   _____

4. una terraza cubierta
   en frente de la casa   _____

5. un animal salvaje   _____

6. pasar la noche afuera   _____

7. poner cosas que
   necesitas en una maleta   _____

8. dar clases   _____

Palabras
acampar
bastón
bizcochos de chocolate
gorila
empacar
enseñar
pórtico
vecinos

Haz un dibujo de Abdul y Gregorio acampando en el patio.

Nombre _____

El vecindario de Abdul

1. Colorea las casas.
2. Escribe el nombre de Abdul encima de su casa.
3. Dibuja una tienda de campaña en el patio trasero de la casa de Gregorio.
4. Escribe una **X** en la casa de la Dra. Ramírez.
5. Dibuja a Abdul en el sofá-columpio en el pórtico de la tía Rosa.

Frogs

Frogs are amphibians (am-**fib**-ee-uns). Amphibians live in wet places. Some frogs live on land near water. Some frogs live in water all the time. Some frogs live in trees. A few kinds of frogs dig burrows underground.

A frog has smooth, moist skin. It has a big head, no neck, and a short, round body. Big eyes sit on top of the frog's head. The frog can peek out of the water without sticking its head above the water. This helps keep the frog safe from hungry enemies.

A toad is one kind of frog. It has bumpy skin that is not as moist as the skin of other frogs.

A frog has four legs. Its back legs are big and strong. This makes the frog a good jumper. The front legs on a frog are smaller than the back legs. The frog rests its front feet on the ground when it sits. Sometimes it uses the front feet like hands to push food into its mouth.

Frogs that live by ponds and streams have webbed feet for swimming. Tree frogs have sticky toes for climbing trees. Frogs that dig burrows have pointed toes for digging.

A frog doesn't drink like you do. Its skin lets the water in, so frogs must live where they can get into water.

A hungry frog sits very still. When an insect gets close, the frog's sticky tongue zips out and grabs it for dinner. A frog eats small animals like snails and worms, too.

A frog starts as a tadpole hatched from a jelly-like egg. The tadpole has no legs, a long tail, and gills like a fish.

The tadpole moves its tail from side to side to swim. It swims in the water looking for food. It eats little plants called algae (**al**-jee).

The tadpole's back legs grow first. Then its front legs grow. As the legs grow, the tail gets shorter. Lungs begin to grow, too. Soon, the tadpole will look like a frog. The frog will jump out of the water to live on land, but it will stay by the water.

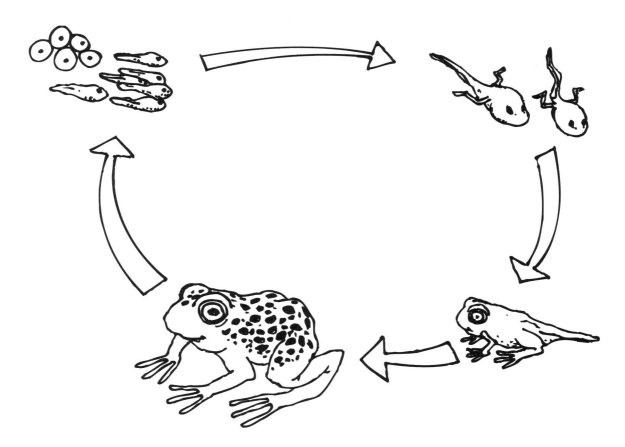

Name _____

Questions About *Frogs*

1. What do frogs' eggs look like?

_____

2. How do amphibians drink water?

_____

3. How do frogs catch dinner?

_____

4. What are webbed feet used for?

_____

5. What do tadpoles use to get air?

_____

6. What do tadpoles eat?

_____

7. How is a tree frog different from a pond frog?

_____

_____

What am I?

_____ _____ _____

Name _____

What Does It Mean?

Fill in the blanks.

1. A _____ has bumpy skin.

2. A _____ has smooth skin.

3. Frogs and toads are _____.

4. Tadpoles use _____ to get air.

5. Frogs have _____ skin.

6. Tadpoles eat _____.

7. Some frogs live in _____ underground.

algae   gills
amphibians   moist
burrows   toad
frog

Read and color.

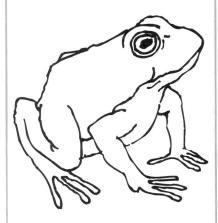

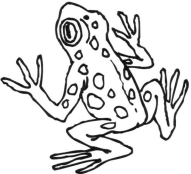

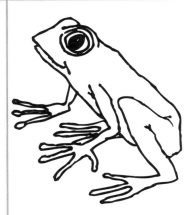

This frog is green on top. It has a white belly.

This little frog is red with black spots.

This tree frog has a green body. It has red eyes. Its sticky feet are orange.

Name _____

Is It a Frog?

Circle the answer.

1. strong back legs   (yes)   no

2. moist skin   yes   no

3. scales   yes   no

4. lives by water   yes   no

5. sticky tongue   yes   no

6. jelly-like eggs   yes   no

7. no legs   yes   no

8. starts as a tadpole   yes   no

9. no neck   yes   no

10. slithers along   yes   no

11. hops along   yes   no

What Am I?

Look at your **no** answers.
Draw an animal with those characteristics.

Las ranas

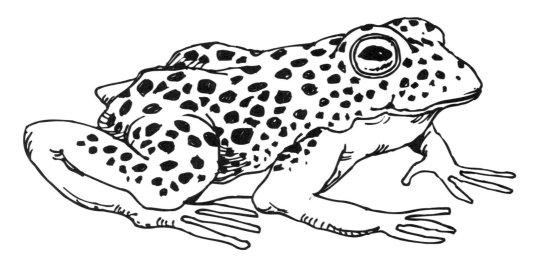

Las ranas son anfibios. Los anfibios viven en lugares húmedos. Algunas ranas viven en la tierra cerca del agua. Algunas ranas viven todo el tiempo en el agua. Algunas ranas viven en los árboles. Algunos tipos de ranas excavan madrigueras debajo de la tierra.

La rana tiene la piel lisa y húmeda. Tiene una cabeza grande, no tiene cuello y tiene un cuerpo pequeño y redondo. Unos ojos grandes sobresalen por arriba de la cabeza de la rana. La rana puede asomar su cabeza del agua sin sacarla. Esto le ayuda a cuidarse de sus enemigos hambrientos.

El sapo es un tipo de rana. Tiene la piel abultada y su piel no es tan húmeda como la de otras ranas.

Las ranas tienen cuatro patas. Sus patas traseras son grandes y fuertes. Gracias a ellas, las ranas son buenas para saltar. Las patas delanteras son más pequeñas que las traseras. Las patas delanteras descansan sobre la tierra cuando la rana se sienta. A veces usa las patas delanteras como manos para meterse comida a su boca.

Las ranas que viven cerca de las lagunas y los arroyos tienen los pies palmeados para nadar. Las ranas que viven en los árboles tienen los dedos pegajosos para treparse a los árboles. Las ranas que excavan madrigueras tienen los dedos puntudos para excavar.

Las ranas no toman agua como tú. Su piel deja pasar el agua. Por eso, las ranas necesitan vivir cerca del agua. Una rana hambrienta se sienta muy quieta. Cuando se acerca un insecto, la lengua pegajosa de la rana sale de repente y lo atrapa para su cena. Las ranas también comen animales pequeños como caracoles y gusanos.

La rana comienza como un renacuajo que sale de un huevo gelatinoso. El renacuajo no tiene patas, sino una cola larga y agallas como un pez.

El renacuajo mueve su cola de un lado a otro para nadar. Nada por el agua en busca de comida. Come plantas pequeñas llamadas algas.

Al renacuajo le crecen primero las patas traseras. Después le crecen las patas delanteras. Mientras le crecen las patas, la cola se le va haciendo más corta. También comienzan a formarse los pulmones. Pronto el renacuajo se verá como una rana. La rana saltará del agua para vivir en la tierra, pero se quedará cerca del agua.

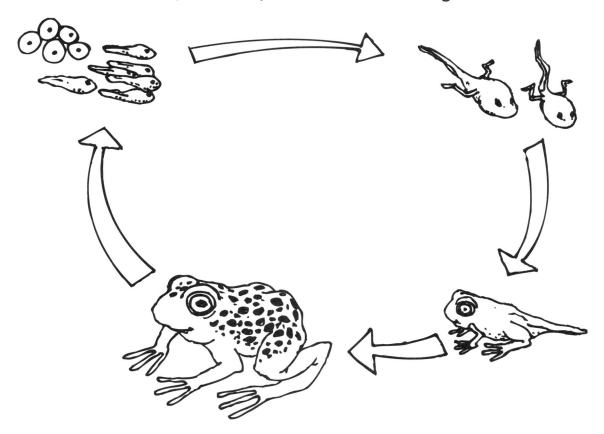

Nombre _____

Preguntas sobre *Las ranas*

1. ¿Cómo son los huevos de las ranas?

   _____

2. ¿Cómo toman agua los anfibios?

   _____

3. ¿Cómo atrapan su cena las ranas?

   _____

4. ¿Para qué usan las patas palmeadas?

   _____

5. ¿Qué usan los renacuajos para respirar?

   _____

6. ¿Qué comen los renacuajos?

   _____

7. ¿En qué se diferencia una rana de árbol de una rana de laguna?

   _____

   _____

¿Qué soy?

_____   _____   _____

Nombre _____

¿Qué significa?

Escoge una palabra para completar la oración.

1. _____ tiene la piel abultada.

2. _____ tiene la piel lisa.

3. Las ranas y los sapos son _____.

4. Los renacuajos usan _____ para respirar.

5. Las ranas tienen piel _____.

6. Los renacuajos comen _____.

7. Algunas ranas viven en _____ debajo de la tierra.

agallas	madrigueras
algas	Una rana
anfibios	Un sapo
húmeda	

Lee y colorea.

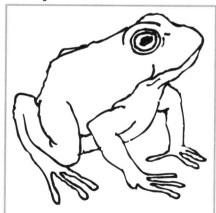

Esta rana es verde por arriba. Tiene una panza blanca.

Esta ranita es roja con manchas negras.

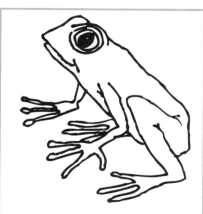

Esta rana de árbol tiene un cuerpo verde. Tiene ojos rojos. Sus pies pegajosos son anaranjados.

Nombre _____

¿Es una rana?

Encierra en un círculo la respuesta correcta.

1. patas traseras fuertes	sí	no
2. piel húmeda	sí	no
3. escamas	sí	no
4. vive cerca del agua	sí	no
5. lengua pegajosa	sí	no
6. huevos gelatinosos	sí	no
7. no tiene patas	sí	no
8. comienza como renacuajo	sí	no
9. no tiene cuello	sí	no
10. se mueve reptando	sí	no
11. se mueve saltando	sí	no

¿Qué soy?

Mira las descripciones donde marcaste **no**. Dibuja un animal con esas características.

It's Raining

Drip, drop. Drip, drop. Drip, drop. Splash! Rain falls down, wetting the land and making puddles. But how does water get up into the sky? How does it fall down on the earth? Read about how it happens.

The hot sun warms the Earth. The heat changes water into water vapor. Water vapor is always in the air, but it is invisible.

You can see water vapor change to waterdrops when you breathe on a cold day. There is water vapor in the warm air you breathe out. When that water vapor hits the cold air outside, it turns into little drops. It looks like a little cloud is coming out of your mouth. You can also see water vapor change to waterdrops when steam comes out of a tea kettle.

Warm air carries the water vapor up into the sky. When the warm air meets cold air high in the sky, the water vapor turns into little drops of water.

When millions of little drops come together, they make a cloud. As the little drops get together, they make bigger drops. When the drops get too big and too heavy, they fall down to the earth as rain.

This is called the water cycle.

Name _____

Questions About *It's Raining*

1. What does the heat of the sun do to water?

   _____

2. How does water vapor get up into the sky?

   _____

3. What is a cloud?

   _____

4. What makes the water in a cloud fall as rain?

   _____

   _____

What is happening in this picture?

_____

_____

_____

_____

_____

Name _____

What Does It Mean?

Draw a line from the word to its meaning.

puddle   can't be seen

invisible   our planet

Earth   a pool of water

cloud   a lot of drops of water together in the sky

rain   weighs a lot

heavy   drops of water falling from the sky

breathe   take air in and out of your lungs

Opposites

Write the opposites of these words.

Word Box
high
little
wet
down
heavy
big
together
cold

dry   _____

small   _____

up   _____

low   _____

large   _____

light   _____

hot   _____

apart   _____

Name _____

The Water Cycle

Cut out the sentences.
Paste them in order.

The heat of the sun warms the Earth.

| |
| |
| |
| |
| |
| |

The cycle starts again.

The water vapor goes up into the sky.

The heat changes water into water vapor.

The waterdrops get big and heavy.

It begins to rain.

The waterdrops become a cloud.

The water vapor becomes drops of water.

Está lloviendo

   Gota a gota. Gota a gota. Gota a gota. ¡Chaparrón! La lluvia cae mojando la tierra y haciendo charcos. ¿Pero cómo sube el agua al cielo? ¿Cómo baja a la tierra? Lee cómo sucede.

   El sol calienta la tierra. El calor convierte el agua en vapor de agua. El vapor de agua está siempre en el aire, pero es invisible.

   Cuando respiras en un día frío, puedes ver el vapor de agua transformarse en gotas de agua. Hay vapor de agua en el aire tibio que exhalas. Cuando el vapor de agua choca con el aire exterior frío, se convierte en pequeñas gotas. Parece como si una pequeña nube saliera de tu boca. También puedes ver el vapor de agua convertirse en gotas de agua cuando sale vapor de una olla hirviendo con agua.

   El aire caliente lleva el vapor de agua arriba al cielo. Cuando el aire caliente se encuentra con aire frío arriba en el cielo, el vapor de agua se convierte en pequeñas gotas de agua.

   Cuando millones de gotas pequeñas se juntan, forman una nube. Cuando las gotas pequeñas se juntan, forman gotas más grandes. Cuando las gotas se vuelven muy grandes y muy pesadas, ellas caen a la tierra como lluvia.

   A esto se le llama el ciclo del agua.

Nombre _____

Preguntas sobre *Está lloviendo*

1. ¿Qué le hace el calor del sol al agua?

   _____

2. ¿Cómo llega el vapor de agua al cielo?

   _____

3. ¿Qué es una nube?

   _____

4. ¿Por qué el agua de una nube cae como lluvia?

   _____

   _____

¿Qué está pasando en este dibujo?

_____

_____

_____

_____

_____

Nombre _____

¿Cuál es el significado?

Conecta la palabra con su significado.

charco   no se puede ver

invisible   el suelo

tierra   pequeña lagunita de agua

nube   conjunto de gotas de agua en el cielo

lluvia   que pesa mucho

pesada   gotas de agua cayendo del cielo

respirar   tomar y botar aire de los pulmones

Opuestos

Escribe las palabras opuestas.

seco   _____

flaco   _____

arriba   _____

bajo   _____

grande   _____

liviano   _____

caliente   _____

aparte   _____

Palabras

abajo
alto
frío
gordo
junto
mojado
pequeño
pesado

Nombre _____

El ciclo del agua

Recorta las frases.
Pégalas en orden.

El calor del sol calienta la tierra.

El ciclo comienza nuevamente.

El vapor de agua sube al cielo.

El calor convierte el agua en vapor de agua.

Las gotas de agua se vuelven más grandes y pesadas.

Comienza a llover.

Las gotas de agua se vuelven una nube.

El vapor de agua se transforma en gotas de agua.

Pests in the Vegetable Patch

Aunt Gertie planted a big garden. She watered it. She weeded it. And she waited as it grew. One sunny day, the vegetables were ready to harvest. Aunt Gertie took her basket and headed for the vegetable patch to pick something for lunch.

She walked through the garden gate, singing a happy song. Suddenly, her eyes popped open. Her mouth flew open, too. This is what she saw...

A bunny munching the cabbage.

A mouse nibbling on peas.

A crow snacking on corn.

A gopher eating lettuce—roots, leaves, and all.

The garden was full of pesky critters eating her vegetables.

"Shoo," shouted Aunt Gertie. "I grew these vegetables for me. I need them for soup. I need them for salad." The animals scurried away. Aunt Gertie picked what she needed for lunch.

"It's time to fix dinner," thought Aunt Gertie. She picked up her basket and walked to the vegetable patch. This is what she saw...

A bunny munching the cabbage.

A mouse nibbling on peas.

A crow snacking on corn.

A gopher eating lettuce—roots, leaves, and all.

Those pesky critters were back again.

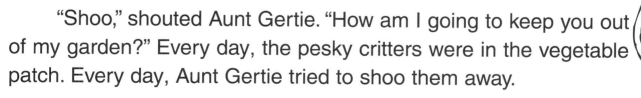

"Shoo," shouted Aunt Gertie. "How am I going to keep you out of my garden?" Every day, the pesky critters were in the vegetable patch. Every day, Aunt Gertie tried to shoo them away.

The next spring, Aunt Gertie planted two gardens. She planted one garden for the pesky critters. Then she planted a garden for herself—with all the plants in wire baskets.

"That should keep those pesky critters out of my garden!" Aunt Gertie declared.

Name _____

Questions About *Pests in the Vegetable Patch*

1. How did Aunt Gertie take care of her garden?

   _____

2. Why did Aunt Gertie plant a garden?

   _____

3. What did she look like when she saw the animals eating her vegetables?

   _____

   _____

4. Name the pesky critters and tell what they ate.

   a. _____ _____   c. _____ _____

   b. _____ _____   d. _____ _____

5. What did Aunt Gertie do to protect her new spring garden?

   _____

6. Will the wire baskets keep out the critters? Why?

   _____

   _____

How did Aunt Gertie feel?
Put an **X** when she felt happy.
Put a ✔ when she was <u>not</u> happy.

____ planted her garden   ____ watched her garden grow
____ shouted, "Shoo"   ____ saw critters eating her
____ her mouth flew open   vegetables
____ was singing a song   ____ ate the vegetables in soup

Name _____

What Does It Mean?

What do these words mean in the story?

harvest	garden
pesky	munch
shoo	vegetable patch
weeded	critters

1. a kind of garden _____ *vegetable patch* _____

2. a funny name for animals _____

3. a place to grow plants like vegetables _____

4. pick the ripe vegetables _____

5. a noise that says "go away" _____

6. pulled out unwanted plants _____

7. bothersome _____

8. chew _____

In the Garden

Draw these things that were in the garden.

bunny	peas	mouse
crow	lettuce	corn

Name _____

What Happened Next?

Draw a picture to show what happened next.

Alimañas en el huerto

La tía Gertrudis sembró un gran huerto. Ella lo regó. Ella le sacó la hierba mala. Un buen día, la cosecha de vegetales estuvo lista para recoger. La tía Gertrudis tomó una canasta y se dirigió al huerto para escoger algo para el almuerzo.

Pasó por la puerta del huerto cantando una alegre canción. De repente, sus ojos se desorbitaron. Quedó con la boca abierta. Esto fue lo que vio . . .

Un conejo comiéndose el repollo.

Un ratón mordisqueando los chícharos.

Un cuervo picoteando el maíz.

Un topo comiéndose la lechuga, desde las raíces hasta las hojas.

La huerta estaba llena de alimañas que comían sus vegetales.

"Fuera," gritó la tía Gertrudis. "Yo cultivé estos vegetales para mí. Los necesito para la sopa. Los necesito para la ensalada." Los animales se marcharon a toda prisa. Entonces la tía Gertrudis cosechó lo que necesitaba para el almuerzo.

Más tarde la tía Gertrudis pensó, "Es hora de preparar la cena."
Tomó su canasta y caminó al huerto. Esto fue lo que vio . . .

Un conejo comiéndose el repollo.

Un ratón mordisqueando los chícharos.

Un cuervo picoteando el maíz.

Un topo comiéndose la lechuga, desde las raíces
hasta las hojas.

¡Esas alimañas habían vuelto!

"Fuera," gritó la tía Gertrudis. "¿Cómo hago para sacarlos de
mi huerto?" Todos los días las alimañas volvían al huerto. Todos los
días la tía Gertrudis intentaba sacarlos.

La siguiente primavera, la tía Gertrudis cultivó dos huertos.
Sembró un huerto para las alimañas. Luego sembró otro huerto para
ella. Sembró cada planta dentro de una malla metálica protectora.

"¡Esto sí que va a proteger mi huerto de esas alimañas!"
declaró la tía Gertrudis.

Nombre _____

Preguntas sobre *Alimañas en el huerto*

1. ¿Cómo cuidó la tía Gertrudis su huerto?

   _____

2. ¿Por qué sembró un huerto la tía Gertrudis?

   _____

3. ¿Qué expresión tuvo la tía Gertrudis cuando vio los animales comiendo sus vegetales?

   _____

4. Escribe el nombre de las alimañas y lo que comió cada uno.

   a. _____ _____   c. _____ _____

   b. _____ _____   d. _____ _____

5. ¿Qué hizo la tía Gertrudis para proteger su nuevo huerto?

   _____

6. ¿La tela metálica protegerá las plantas de las alimañas?¿Por qué?

   _____

   _____

¿Cómo se sintió la tía Gertrudis?
Pon una **X** cuando se sintió contenta.
Pon una ✔ cuando <u>no</u> se sintió contenta.

_____ sembró su huerto

_____ gritó, "¡Fuera!"

_____ quedó con la boca abierta

_____ cantaba una canción

_____ observó su huerto creciendo

_____ vio las alimañas comiendo sus vegetales

_____ se comió los vegetales en la sopa

Nombre _____

¿Qué significa?

¿Cuál es el significado de estas palabras en la historia?

topo	huerto
regar	cultivar
¡fuera!	alimaña
cosecha	mordisco

1. rociar agua sobre plantas ____regar____

2. animal dañino _____

3. terreno para el cultivo de legumbres _____

4. vegetales maduros listos para recoger _____

5. palabra para asustar o correr a las alimañas _____

6. animal que hace túneles bajo la tierra _____

7. cuidar plantas para que crezcan bien _____

8. un bocado de algo _____

En el huerto

Haz un dibujo de los animales y vegetales que se encontraban en la huerta.

un conejo	unos chícharos	un ratón
un cuervo	una lechuga	el maíz

Nombre _____

¿Qué pasó después?

Haz un dibujo para mostrar lo que pasó después de cada escena del cuento.

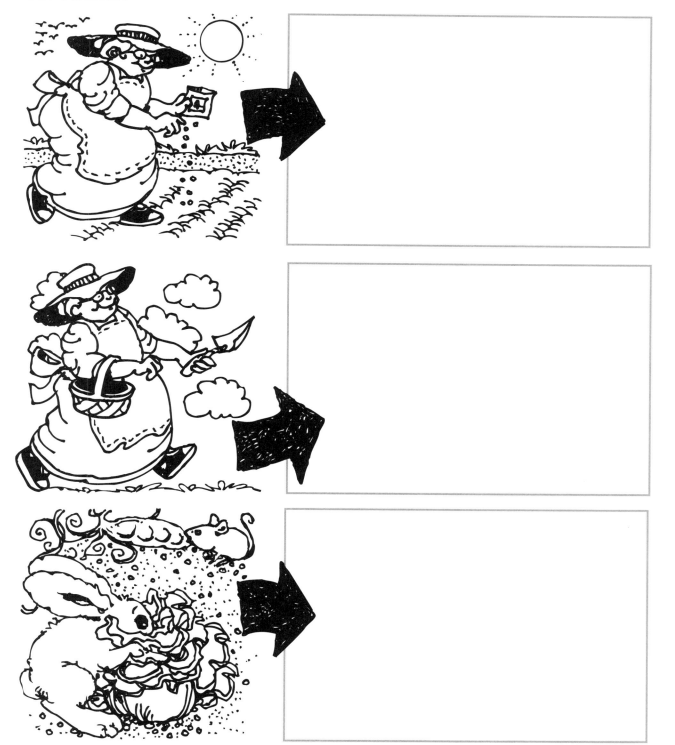

Penguins

Most penguins live in a land of snow and ice. They have feathers, wings, and a beak like other birds. But they are different in two important ways.

Penguins cannot fly. A penguin's body is too heavy. Its wings are small, flat, and stiff.

The feet of a penguin are made for swimming, not walking. Penguins look funny as they waddle across land. If they want to move quickly on land, they flop down on their bellies and slide. In the water, they use their webbed feet to help them swim.

The way penguins use their wings is different, too. They use their flat, stiff wings as flippers to help them swim swiftly through the cold water. They swim as well as the fish, seals, and whales.

When a penguin is hungry, it dives into the ocean and hunts for food. Penguins eat shrimplike animals called krill. They also eat squid and fish.

Penguins lay eggs like all birds. Some kinds of penguins make a nest of pebbles. One kind holds the egg on its feet. The penguin covers the egg with a flap of skin to keep it warm.

Penguin chicks are covered with fluffy feathers when they hatch. Both the mother and father penguin feed the baby. When the chick grows adult feathers, it will go to the ocean to get its own food.

Name _____

Questions About *Penguins*

1. Why can't a penguin fly?

   _____

2. How can a penguin swim so well?

   _____

3. Where does a penguin find its food?

   _____

4. What do penguins eat?

   _____

5. Give two ways a penguin might keep its egg warm.

   a. _____

   b. _____

6. How do penguin chicks look different from their parents?

   a. A chick is _____

   b. Penguin parents are _____

Find the Birds

```
p e n g u i n g p
j e a g l e w u e
a d u c k h r l a
y f i n c h e l c
c h i c k e n z o
m p e l i c a n c
o w l x l a r k k
```

___ chicken   ___ lark
___ duck   ___ owl
___ eagle   ___ peacock
___ finch   ___ pelican
___ gull   ___ penguin
___ jay   ___ wren

Name _____

What Does It Mean?

Read the story to find the missing words.

1. All birds are covered in _____.

2. A baby penguin is called a _____.

3. _____ are shrimplike animals eaten by penguins.

4. Penguins _____ when they walk across land.

5. Penguins slide across the ice on their _____.

6. Penguins have _____ feet for swimming.

Penguin Crossword Puzzle

Word Box

beak
egg
feathers
flippers
hatch
krill
nest
penguin
swift
swim

Across

2. these cover birds
3. to move in the water
5. a bird that cannot fly
8. a shrimplike animal
9. quick

Down

1. a bird's bill
2. penguins use their wings as _____
4. a bird hatches from this
6. a home for some bird eggs
7. to come out of an egg

Name _____

A Penguin Is Born

Cut out the pictures at the bottom of the page.
Paste them in order.

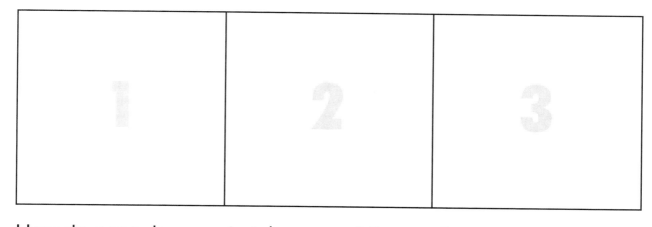

How do penguin parents take care of the egg?

_____

_____

_____

How do they take care of the chick after the egg hatches?

_____

_____

_____

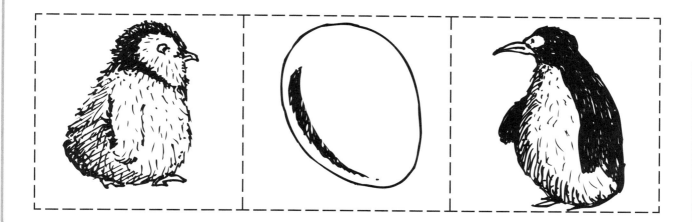

Los pingüinos

La mayoría de los pingüinos vive en terrenos con nieve y hielo. Tienen plumas, alas y un pico como otros pájaros. Pero éstos son distintos en dos aspectos importantes.

Los pingüinos no pueden volar. El cuerpo del pingüino es muy pesado. Sus alas son pequeñas, planas y tiesas.

Las patas del pingüino están hechas para nadar, no para caminar. Los pingüinos se ven muy graciosos cuando caminan meneándose de un lado a otro. Si quieren moverse rápidamente en la tierra, se tiran sobre su abdomen y se deslizan. En el agua, sus patas palmeadas los ayudan a nadar.

Los pingüinos también usan sus alas de una manera distinta. Usan sus alas planas y tiesas como aletas para ayudarse a nadar rápidamente en el agua helada. Nadan tan bien como los peces, las focas y las ballenas.

Cuando un pingüino tiene hambre, se sumerge dentro del mar y caza su comida. Los pingüinos se alimentan de krill, unos moluscos microscópicos que se parecen al camarón. También comen calamares y peces.

Los pingüinos ponen huevos como todos los pájaros. Algunas clases de pingüinos hacen nidos con piedritas. Otra clase guarda el huevo sobre sus patas. El pingüino cubre el huevo con una faja de piel para mantenerlo caliente.

Cuando nacen, los polluelos de pingüino están cubiertos con plumitas esponjosas. Tanto la mamá como el papá pingüino alimentan al bebé. Cuando al polluelo le crecen sus plumas de adulto, se va al mar a conseguir su propio alimento.

Nombre _____

Preguntas sobre *Los pingüinos*

1. ¿Por qué no puede volar el pingüino?

   _____

2. ¿Por qué un pingüino puede nadar tan bien?

   _____

3. ¿En dónde encuentra su alimento el pingüino?

   _____

4. ¿Qué comen los pingüinos?

   _____

5. Nombra dos maneras en las que el pingüino mantiene el huevo caliente.

   a. _____

   b. _____

6. ¿En qué se diferencian los polluelos de los adultos?

   a. Un polluelo es _____

   b. Los pingüinos adultos son _____

Encuentra las diferentes aves

```
p i n g ü i n o p x
e a l o n d r a a p
l p o l l o m s t a
í á g u i l a t o v
c a r p i n t e r o
a r a z u l e j o r
n y c u e r v o x e
o w l g a v i o t a
q z b ú h o c b y l
```

___ águila   ___ gaviota

___ alondra   ___ pato

___ azulejo   ___ pavo real

___ búho   ___ pelícano

___ carpintero   ___ pingüino

___ cuervo   ___ pollo

Nombre _____

¿Qué significa?

Lee la historia para encontrar las palabras que faltan.

1. Todos los pájaros están cubiertos de _____.

2. Un pingüino bebé se llama _____.

3. _____ es el nombre de los moluscos microscópicos que comen los pingüinos.

4. Los pingüinos se ven graciosos cuando caminan _____ de un lado a otro.

5. Los pingüinos se deslizan sobre su _____ para moverse rápidamente.

6. Los pingüinos tienen patas _____ para ayudarlos a nadar.

Crucigrama del pingüino

Palabras

aleta
huevos
krill
nacer
nadar
nido
pico
pingüino
plumas
rápido

verticales

1. todos los pájaros tienen uno
2. los pájaros nacen de ellos
5. salir del huevo
6. es microscópico y se parece a un camarón
7. la casa de algunos pájaros
10. moverse en el agua

horizontales

1. éstas cubren a los pájaros
4. los pingüinos usan sus alas como esto
8. un pájaro que no puede volar
9. veloz

Nombre _____

Nace un pingüino

Recorta los dibujos al final de la página.
Pégalos en orden.

¿Cómo cuidan su huevo los padres pingüinos?

_____

_____

_____

¿Cómo cuidan a su polluelo cuando sale del huevo?

_____

_____

_____

The Chimpanzee's Friend

What would your mother say if you took worms to bed? What if you hid in a chicken house for hours? A little girl growing up in England did these things. Her name was Jane Goodall.

Jane always loved animals. When she was a baby, she slept with a toy chimpanzee. When she was two years old, she hid earthworms under her pillow. She wanted to see what they did at night. When she was four years old, she hid in a chicken house and stayed there until she saw a chicken lay an egg.

When Jane grew up, she went to Africa. She wanted to learn more about animals. She began watching chimpanzees on a reserve in Tanzania. She waited and watched until the chimps were not afraid of her.

Jane watched the chimps for many years. She saw baby chimps grow up and start families of their own. She knew each chimp when she saw it, and even gave the chimps names.

She learned how chimpanzees behave. She learned what they eat and how they take care of their babies. She saw how they get along with other chimpanzees. Her notes about what she saw have helped other scientists understand how animals behave.

Today, Jane Goodall travels around the world talking to people about why we need to protect animals.

Name _____

Questions About *The Chimpanzee's Friend*

1. Where did Jane Goodall grow up?

_____

2. Why did she put earthworms under her pillow?

_____

3. How did she learn about hens laying eggs?

_____

4. Where did she go in Africa?

_____

5. What animal did she study?

_____

6. How did she learn about the animals?

_____

7. What is Jane Goodall doing now?

_____

Have you ever watched an animal?   yes   no

What animal did you watch? _____

What did you see? _____

_____

_____

Name _____

What Does It Mean?

Write the letter of each answer.

1. What did **watch** mean in the story? ☐

2. Where is **Tanzania**? ☐

3. What do you do if you take **notes**? ☐

4. What does **travel** mean? ☐

5. What did **behave** mean in the story? ☐

6. What is an animal **reserve**? ☐

A. to look at something
B. write down what you see
C. to act or do things

D. a safe place for animals
E. to go from place to place
F. in Africa

Draw:

pillow	earthworm
chimpanzee	hen and egg

Name _____

What Happened Next?

Cut out the sentences.
Paste them in order.

1.

2.

3.

4.

5.

6.

- -

She slept with a toy chimp when she was a baby.

She watched chimpanzees in Africa.

She hid earthworms under her pillow.

Jane Goodall was born in England.

She talks about why we need to protect animals.

She watched a hen lay an egg.

La amiga del chimpancé

¿Qué diría tu madre si llevaras lombrices a tu cama? ¿Qué tal si te escondieras en el gallinero durante horas? Una niñita que nació en Inglaterra hizo estas cosas. Su nombre era Jane Goodall.

Jane siempre quiso a los animales. Cuando era bebé, ella durmió con un chimpancé de juguete. Cuando tenía dos años, escondió lombrices debajo de su almohada. Ella quería ver qué hacían de noche. Cuando tuvo cuatro años, se escondió en el gallinero y esperó hasta que vio una gallina poner un huevo.

Cuando Jane creció se fue al África. Ella quería aprender más acerca de los animales. Comenzó observando chimpancés en una reserva en Tanzania. Ella observó y esperó hasta que los chimpancés no le tuvieran miedo.

Jane observó a los chimpancés durante muchos años. Ella vio a los chimpancés bebés crecer hasta formar sus propias familias. Ella reconocía a cada chimpancé cuando lo veía, incluso les puso nombres.

Ella aprendió cómo se comportaban los chimpancés. Aprendió qué comían y cómo cuidaban a sus crías. Ella vio cómo se llevaban con otros chimpancés. Sus apuntes sobre lo que vio han ayudado a otros científicos a entender el comportamiento animal.

Hoy en día Jane Goodall viaja alrededor del mundo hablando con las personas acerca de la necesidad de proteger a los animales.

Nombre _____

Preguntas sobre *La amiga del chimpancé*

1. ¿En dónde nació Jane Goodall?

   _____

2. ¿Por qué puso lombrices debajo de su almohada?

   _____

3. ¿Cómo aprendió cómo ponen huevos las gallinas?

   _____

4. ¿En qué parte de África estuvo?

   _____

5. ¿Qué animal estudió?

   _____

6. ¿Cómo aprendió acerca de los animales?

   _____

7. ¿Qué hace hoy en día Jane Goodall?

   _____

   _____

¿Has observado alguna vez un animal?   sí   no

¿Qué animal observaste? _____

¿Qué viste? _____

_____

Nombre _____

¿Qué significa?

Escribe la letra que corresponde a la pregunta.

1. ¿Qué significa en la historia **observar**? ☐

2. ¿Dónde queda **Tanzania**? ☐

3. ¿Qué se hace cuando uno toma **apuntes**? ☐

4. ¿Que significa **viajar**? ☐

5. ¿Qué significa **comportamiento** en esta historia? ☐

6. ¿Qué es una **reserva** animal? ☐

A. mirar algo
B. escribir lo que uno observa
C. manera de actuar o hacer algo

D. un lugar seguro para los animales
E. ir de un lugar a otro
F. en África

Haz un dibujo:

una almohada	una lombriz
un chimpancé	una gallina y un huevo

Nombre _____

¿Que sucedió después?

Recorta las frases.
Pégalas en orden.

1.

2.

3.

4.

5.

6.

- -

Ella durmió con un juguete de chimpancé cuando era bebé.

Ella observó chimpancés en el África.

Ella escondió lombrices debajo de su almohada.

Jane Goodall nació en Inglaterra.

Ella habla sobre la necesidad de proteger a los animales.

Ella observó una gallina poniendo un huevo.

Stan and Goldie

Alex was looking for his cat. The cat didn't come when Alex called his name. He didn't come when Alex shook his food box. That was bad news. When Stan didn't come for food, he was up to no good.

Alex was right. Stan was about to do something bad. He was sitting on the table watching Goldie swim in her bowl. Around and around went Goldie. Around and around went Stan's eyes. The naughty cat slowly put a paw into the bowl. Just as he was about to grab Goldie, Alex saw him.

"Scat, cat!" yelled Alex. "Yow!" screeched Stan. He took off like a flash and hid under the sofa.

Now, Goldie lives in a new home with a wire lid across the top. And Stan has to be happy with fish out of a can.

Name _____

Questions About *Stan and Goldie*

1. What kinds of pets did Alex have?

_____

2. How did Alex try to get Stan to come to him?

_____

3. Why didn't Stan come when Alex called him?

_____

4. What did Alex do to protect Goldie?

_____

5. What would have happened if Alex had not found Stan?

_____

6. What do you think will happen to Stan if he tries to catch Goldie again?

_____

Think About It

Think of another way to protect the fish from Stan. Draw a picture to show what you would do.

Name _____

Match the Parts

Match:

1. naughty   a cover for a box or a dish

2. bowl   an animal's foot

3. wire   to take hold of suddenly

4. paw   a thin piece of metal

5. grab   not behaving well

6. lid   a kind of deep dish

Circle the answer.

1. It was **bad news**.
   a. a funny story
   b. not a good thing
   c. an old newspaper

2. He was **up to no good**.
   a. going to do something bad
   b. climbing a tree
   c. standing on his hind legs

3. Stan took off **like a flash**.
   a. with a flashlight
   b. to light a firecracker
   c. running very fast

Name _____

What Happened Next?

Cut out the sentences below.
Paste them in order.

1.

2.

3.

4.

5.

6.

- ✂

Stan was sitting on the table watching Goldie.

Stan didn't come when Alex shook his food box.

"Scat, cat!" yelled Alex.

Goldie lives in a home with a wire lid across the top.

Stan took off like a flash and hid under the sofa.

Stan put a paw into the bowl of water.

Pacho y Dora

Alex estaba buscando a su gato. El gato no vino cuando Alex lo llamó por su nombre. Tampoco llegó cuando Alex sacudió su plato de comida. Eso no era bueno. Cuando Pacho no venía por su comida, es que andaba metido en alguna travesura.

Alex tenia razón. Pacho estaba a punto de hacer algo que no debía. Estaba sentado en la mesa observando a Dora que nadaba en su pecera. Dora daba una y otra vuelta. Una y otra vuelta daban los ojos de Pacho. Lentamente, el gato travieso metió una pata en la pecera. Justo cuando iba a atrapar a Dora, Alex lo vio.

"¡Aléjate, gato!" gritó Alex. "¡Miauu!" chilló Pacho. Salió como un relámpago y se escondió debajo del sofá.

Ahora Dora tiene una nueva pecera con una malla de alambre que la cubre de un lado a otro. Y Pacho tiene que contentarse con pescado enlatado.

Skills: Read for information; illustrate original ideas.

Nombre _____

Preguntas sobre *Pacho y Dora*

1. ¿Qué mascotas tenía Alex?

   _____

2. ¿Qué hizo Alex para llamar a Pacho?

   _____

3. ¿Por qué no fue Pacho con Alex cuando lo llamó?

   _____

4. ¿Qué hizo Alex para proteger a Dora?

   _____

5. ¿Qué hubiera sucedido si Alex no encontrara a Pacho?

   _____

6. ¿Qué crees que le pasaría a Pacho si intenta atrapar
   nuevamente a Dora?

   _____

Piénsalo

Imagínate otra manera para
proteger a Dora de Pacho.
Haz un dibujo que muestra
lo que harías.

Stan and Goldie/Spanish 183

Nombre _____

Conecta las palabras
con su significado

Conecta:

1. travieso   la cubierta de una caja o de una olla

2. pecera   el pie de un animal

3. alambre   agarrar alguna cosa

4. pata   una pedazo fino de metal

5. atrapar   que no se comporta bien

6. tapa   recipiente donde vive un pez

Encierra en un círculo la respuesta correcta.

1. **Andaba metido en alguna travesura.**

   a. estaba atrapado en alguna parte
   b. estaba haciendo algo indebido
   c. metió la pata en la pecera

2. **Salió como un relámpago.**

   a. corrió rápidamente
   b. encendió una linterna
   c. una luz fuerte

3. **Tiene que contentarse.**

   a. no puede esperar otra cosa mejor
   b. necesita estar sentado
   c. debe sentirse feliz

Nombre _____

¿Qué pasó después?

Recorta las frases.
Pégalas en orden.

1.

2.

3.

4.

5.

6.

✂

Pacho estaba sentado en la mesa observando a Dora.

Pacho no vino cuando Alex sacudió su plato de comida.

"¡Aléjate, gato!" gritó Alex.

Dora tiene una nueva pecera con una malla de alambre que la cubre.

Pacho salió como un relámpago y se escondió debajo del sofá.

Pacho metió una pata en la pecera.

Boots

"Emma, look at this lettuce. Something is eating up my garden," said Tony. "I planted this lettuce for us to eat. I'm going to catch that hungry little pest."

Tony got a box and poked some holes in it. He took the box, a stick, and some string to the garden. Tony set his trap right over a big green lettuce plant. He set one side of the box on the stick. He tied one end of the string to the stick. Then he hid behind a big plant. Tony held on to the string. He sat and waited a long time.

At last, Tony saw the lettuce leaves begin to wiggle. Soon, a little pink nose and two eyes peeked out of the green leaves. Tony pulled the string and down came the box. The lettuce eater was caught!

Tony reached under the box and lifted out the little pest. "Emma, come see what I have," he called.

When Emma got to the garden, she saw a furry rabbit. It was black with little white feet. "Let's call her Boots," said Emma. "I think she will make a good pet."

"I'll build you a big pen in the backyard," Tony told Boots.

Boots did make a good pet. When Tony called, "Boots!", she came hopping to them. She stood on her back legs to take treats from Emma's hand. She used the cat's litter box when she came in the house. And she never went into the garden to eat Tony's lettuce again!

Name _____

Questions About *Boots*

1. How did Tony know there was a pest in his garden?

   _____

2. What did Tony use to trap the rabbit?

   _____

3. How did Tony know when to pull the string on the trap?

   _____

4. Where did Tony build the pen for Boots?

   _____

5. Circle the things Boots could do.

   come when her name was called   use the cat's litter box

   climb a tree   open a can of food

   take treats from someone's hand   catch mice and bugs

   make loud noises   stand on her back legs

6. Why did Emma name the rabbit "Boots"?

   _____

Think About It

Pretend you have a pest in your garden.
Think of a way to capture the pest.
On another paper, draw a picture to show what you would do.

Name _____

What Does It Mean?

Circle the answer.

1. In this story, **Boots** means
   a. a name for a pet
   b. something to wear on your feet

2. In this story, **pet** means
   a. to rub gently
   b. an animal kept as a friend

3. In this story, **treat** means
   a. to give medicine to a sick person
   b. a snack

4. In this story, **plant** means
   a. something growing in the garden
   b. a factory

Opposites

Write the opposites of these words.

1. she _____
2. in _____
3. came _____
4. good _____
5. hungry _____

6. sick _____
7. back _____
8. come _____
9. little _____
10. tie _____

Word Box				
out	he	big	full	go
went	bad	untie	front	well

Name _____

Tony

Write about a time in the story when Tony felt this way.

1. Tony was angry when _____

_____ .

2. Tony was smart when _____

_____ .

3. Tony was surprised when _____

_____ .

4. Tony was kind when _____

_____ .

5. Tony was happy when _____

• Read & Understand English/Spanish • EMC 5308

Botas

"Elsa, mira esta lechuga. Algo se está comiendo mi jardín," dijo Antonio. "Yo sembré esta lechuga para que nos la comiéramos. Voy a atrapar ese bicharraco hambriento."

Antonio consiguió una caja y le abrió algunos huecos. Llevó la caja, un palo y un poco de cuerda al jardín. Antonio colocó su trampa sobre una gran planta de lechuga verde. Puso un lado de la caja sobre el palo. Ató una punta de la cuerda al palo. Luego se escondió detrás de una gran planta. Antonio sujetó la cuerda. Se sentó y esperó por un largo rato.

Finalmente Antonio vio que las hojas de lechuga se movían. De pronto una naricita rosada y dos ojos se asomaron por entre las hojas. Antonio jaló la cuerda y sé cayó la caja. ¡El ladrón de lechuga estaba atrapado!

Antonio metió la mano bajo la caja y levantó al animalito. "Elsa, ven a ver lo que tengo," la llamó.

Cuando Elsa llegó al jardín, vio a un conejo lanudo. Era negro con paticas blancas. "Llamémosle Botas," dijo Elsa. "Yo creo que puede ser una buena mascota."

"Te voy a construir un corral grande en el patio de atrás," le dijo Antonio a Botas.

Botas fue una buena mascota. Cuando Antonio decía "¡Botas!" ella venía saltando hacia ellos. Se paraba en sus patas traseras para tomar la comidita que le daba Elsa en la mano. Ella usaba la letrina del gato cuando estaba en la casa. ¡Y nunca más volvió al jardín de Antonio a comerse su lechuga!

Nombre _____

Preguntas sobre *Botas*

1. ¿Cómo se enteró Antonio de que había algún animal en su jardín?

   _____

2. ¿Qué utilizó Antonio para atrapar el conejo?

   _____

3. ¿Cómo supo Antonio que era el momento para jalar la cuerda de la trampa?

   _____

4. ¿En dónde construyó Antonio el corral para Botas?

   _____

5. Encierra en un círculo las cosas que Botas puede hacer.

   venir cuando lo llaman por su nombre

   trepar a un árbol

   tomar comida de la mano de alguien

   hacer ruidos fuertes

   usar la letrina del gato

   abrir una lata de comida

   cazar ratones y bichos

   pararse en sus patas traseras

6. ¿Por qué Elsa le puso el nombre de Botas?

   _____

Piénsalo

Imagínate que tienes algún bicharraco en tu jardín.
Piensa en una manera de capturarlo.
En otra hoja, haz un dibujo para mostrar lo que harías.

Nombre _____

¿Qué significa?

Encierra en un círculo la respuesta.

1. En esta historia **Botas** significa
    a. un nombre de mascota
    b. algo para ponerse en los pies

2. En esta historia **mascota** significa
    a. masticar delicadamente algo
    b. un animal que se cuida en la casa

3. En esta historia **letrina** significa
    a. un baño para un animal
    b. una pequeña letra

4. En esta historia **planta** significa
    a. algo que crece en el jardín
    b. una fábrica

Opuestos

Escribe las palabras opuestas.

1. ella _____
2. adentro _____
3. venir _____
4. bueno _____
5. hambriento _____

6. enfermo _____
7. detrás _____
8. sentado _____
9. pequeño _____
10. atar _____

Palabras				
afuera	grande	ir	malo	delante
él	lleno	parado	desatar	sano

Nombre _____

Antonio

Escribe sobre un momento en el cuento cuando Antonio se sintió de esa manera.

1. Antonio estuvo bravo cuando _____

_____

2. Antonio fue inteligente cuando _____

_____

3. Antonio se sorprendió cuando _____

_____

4. Antonio fue amable cuando _____

_____

5. Antonio estuvo contento cuando _____

_____

Little Red Hen

Little Red Hen lived on a small farm with a duck, a cat, and a dog. Little Red Hen was busy all the time. But the duck only wanted to swim in the pond. The cat only wanted to nap in a sunny spot. The dog only wanted to run and play.

One day, Little Red Hen found some wheat seeds. "Who will help me plant these seeds?" she asked.

"I won't," quacked the wee brown duck. "It's time to go to the pond."

"I won't," purred the small yellow cat. "It's time to take a nap."

"I won't," growled the big black dog. "It's time to chase my tail."

"Then I'll do it myself," said Little Red Hen. And she did.

The wheat grew tall and yellow. It was time to harvest the wheat. "Who will help me cut the wheat?" asked Little Red Hen.

"I won't," quacked the wee brown duck. "It's time to eat my lunch."

"I won't," purred the small yellow cat. "It's time to climb a tree."

"I won't," growled the big black dog. "It's time to fetch a stick."

"Then I'll do it myself," said Little Red Hen. And she did.

The wheat was ready to grind into flour. "Who will help me take the wheat to the mill?" she asked.

"I won't," quacked the wee brown duck. "It's time to rest in the sun."

"I won't," purred the small yellow cat. "It's time to chase a bird."

"I won't," growled the big black dog. "It's time to scratch my fleas."

"Then I'll do it myself," said Little Red Hen. And she did.

The wheat was made into flour at the mill. "Who will help me make the flour into bread?" she asked.

"I won't," quacked the wee brown duck. "It's time to eat green weeds."
"I won't," purred the small yellow cat. "It's time to clean my fur."
"I won't," growled the big black dog. "It's time to dig a hole."
"Then I'll do it myself," said Little Red Hen. And she did.

Little Red Hen took the hot brown bread out of the oven. It smelled so good! "Who will help me eat this bread?" she asked.

"We will!" shouted the wee brown duck, the small yellow cat, and the big black dog. "It's time to have a snack!"

"Oh, no, you won't!" said Little Red Hen. "You didn't help plant the seeds. You didn't help cut the wheat. You did not help take it to the mill. You didn't help bake the bread. Now you cannot eat the bread."

"Here, chick, chick, chick," she called. Little Red Hen and her chicks ate up all the bread.

Name _____

Questions About *Little Red Hen*

1. Who lived on the small farm?

   _____

2. Tell four things Little Red Hen did after she found the seeds.

   _____   _____

   _____   _____

3. What did the duck, cat, and dog say when Little Red Hen asked them to help?

   _____

4. Why didn't Little Red Hen let the duck, cat, and dog eat the bread?

   _____

   _____

5. Find three words in the story that mean **not big**.

   _____   _____   _____

6. Why do you think the animals would not help Little Red Hen?

   _____

7. Do you think the animals will help next time? Why?

   _____

Name _____

What Does It Mean?

Write the word by its meaning.
You will not use all the words.

mill	harvest	grind
nap	fetch	flour
flea	oven	scratch

1. the place bread is baked   _____

2. to go and get something   _____

3. a short sleep   _____

4. a small insect that feeds on animal blood   _____

5. a place where grain is ground into flour   _____

6. to gather ripe crops   _____

Real or Make-Believe?

Make an **X** if a real hen can do it.
Make a ✓ if a real hen cannot do it.

_____ A hen can talk.

_____ A hen can eat seeds and bugs.

_____ A hen can bake bread.

_____ A hen can plant seeds.

_____ A hen can live on a farm.

_____ A hen can run.

Name _____

Number the pictures in order to tell the story.

La gallinita roja

La gallinita roja vivía en una pequeña granja con un pato, un gato y un perro. La gallinita roja se mantenía ocupada todo el tiempo. Pero el pato sólo quería nadar en el estanque. El gato sólo quería tomar una siesta en un lugar soleado. El perro sólo quería correr y jugar.

Un día la gallinita roja encontró unos granos de trigo. "¿Quién me va a ayudar a sembrar estas semillas?" preguntó.

"Yo no," graznó el diminuto pato. "Es hora de ir al estanque."

"Yo no," ronroneó el pequeño gato. "Es hora de mi siesta."

"Yo no," gruñó el gran perro negro. "Es hora de perseguir mi cola."

"Entonces lo haré yo misma," dijo la gallinita roja. Y lo hizo.

El trigo amarillo creció muy alto. Era tiempo de recoger la cosecha de trigo. "¿Quién me va a ayudar a segar el trigo?" preguntó la gallinita roja.

"Yo no," graznó el diminuto pato. "Es hora de almorzar."

"Yo no," ronroneó el pequeño gato. "Es hora de trepar al árbol."

"Yo no," gruñó el gran perro negro. "Es hora de ir a buscar un palo.

"Entonces lo haré yo misma," dijo la gallinita roja. Y lo hizo.

El trigo estaba listo para moler y convertirlo en harina. "¿Quién me va a ayudar a llevar el trigo al molino?" ella preguntó.

"Yo no," graznó el diminuto pato. "Es hora de tomar el sol."

"Yo no," ronroneó el pequeño gato. "Es hora de perseguir un pájaro."

"Yo no," gruñó el gran perro negro. "Es hora de rascarme las pulgas."

"Entonces lo haré yo misma," dijo la gallinita roja. Y así lo hizo.

En el molino el trigo se convirtió en harina. "¿Quién me va a ayudar a convertir la harina en pan?" ella preguntó.

"Yo no," graznó el diminuto pato. "Es hora de buscar plantas verdes para comer."

"Yo no," ronroneó el pequeño gato. "Es hora de limpiar mi pelaje."

"Yo no," gruñó el gran perro negro. "Es hora de cavar un hoyo."

"Entonces lo haré yo misma," dijo la gallinita roja. Y lo hizo.

La gallinita roja sacó un pan dorado y caliente del horno. ¡Olía delicioso! "¿Quién me va a ayudar a comer este pan?" ella preguntó.

"¡Nosotros lo haremos!" gritaron el diminuto pato, el pequeño gato y el gran perro negro. "¡Es hora de comer una deliciosa merienda!"

"¡Ah, no, ustedes no!" dijo la gallinita roja. "Ustedes no ayudaron a sembrar las semillas. No ayudaron a segar el trigo. No ayudaron a llevarlo al molino. No ayudaron a hornear el pan. Ahora no pueden comerse este pan."

"Vénganse mis pollitos," llamó la gallinita roja a sus pollitos. Llegaron a la carrera, y la gallinita roja y sus pollitos se comieron todo el pan.

Nombre _____

Preguntas sobre *La gallinita roja*

1. ¿Quiénes vivían en la pequeña granja?

   _____

2. Nombra cuatro cosas que la gallinita roja hizo después de encontrar los granos de trigo.

   _____   _____

   _____   _____

3. ¿Qué dijeron el pato, el gato y el perro cuando la gallinita roja les pidió ayuda?

   _____

4. ¿Por qué la gallinita roja no dejó que el pato, el gato y el perro comieran pan?

   _____

   _____

5. Encuentra las palabras en la historia que signifiquen que algo **no es grande**.

   _____   _____

6. ¿Por qué piensas que los animales no ayudaron a la gallinita roja?

   _____

7. ¿Crees que los animales le van a ayudar la próxima vez? ¿Por qué?

   _____

Nombre _____

¿Qué significa?

Escribe la palabra correcta al lado de su significado.
No vas a usar todas las palabras.

molino	cosecha	moler
siesta	segar	harina
pulga	horno	rascar

1. área para meter alimentos para asarlos _____

2. cortar el trigo en el campo con una hoz _____

3. dormir o descansar por un tiempo corto _____

4. insecto pequeño que se alimenta de la
sangre de animales _____

5. lugar donde el grano se convierte en harina_____

6. frutos maduros que se recogen de la tierra _____

¿Verdadero o falso?

Escribe una **X** si es verdad que una gallina lo puede hacer.
Escribe una ✔ si no es verdad que una gallina lo puede hacer.

_____ Una gallina puede hablar.

_____ Una gallina puede comer semillas e insectos.

_____ Una gallina puede hornear pan.

_____ Una gallina puede sembrar semillas.

_____ Una gallina puede vivir en una granja.

_____ Una gallina puede correr.

Nombre _____

Escribe los números del 1 al 6 para indicar el orden de los eventos en la historia.

Are You a Spider?

Pat, Pam, and Pete are triplets. They like creepy, crawly things like bugs and worms. Today, they are searching for a spider.

"Let's go find a spider," said Pat. "We can look in the backyard. I think we can find a spider there."

"But we don't know what a spider looks like," said Pam. "How big is it? What color is it? How will we know when we find one?"

The triplets searched all over the backyard. Pat found something on a bush. "Are you a spider?" she asked.

"No. I'm a grasshopper. I am an insect. I have six legs. A spider has eight legs," answered a big brown grasshopper.

Pam found something under a pile of leaves. "Are you a spider?" she asked.

"No. I'm an ant. I am an insect. My body has three parts. A spider has two parts," answered the tiny red ant.

Pete found something on a rose plant. "Are you a spider?" he asked.

"No. I'm a butterfly. I am an insect. I have wings. A spider doesn't have wings," answered the pretty orange butterfly.

The triplets met on the back porch. "Did you find a spider?" Pete asked his sisters.

"No, we didn't. But we know a spider has eight legs and two body parts," said Pam. "Did you find one?"

"No, but I know a spider doesn't have wings," said Pete. Just then, Pete saw something. "Look up there!" Pam and Pat looked up. In the corner of the porch roof was a big web. Hanging down from the web was a shiny black body. It had eight legs and two body parts. It did not have wings.

"It's a spider!" shouted Pat with a grin. "I knew we would find a spider."

Name _____

Questions About Are You a Spider?

1. Where did the triplets go to look for spiders?

   _____

2. What did they find?

   Pat _____   Pam _____

   Pete _____

3. Where did the triplets find the spider?

   _____

4. How did they know it was a spider?

   _____

5. What kind of an animal is a grasshopper, an ant, and a butterfly?

   _____

6. What part of this story is make-believe?

   _____

What gets caught in the spider's web? Circle the answer.

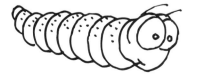      

Name _____

What Does It Mean?

Write the word by its meaning.

triplets	web	spider
creepy	porch	grin

1. a smile _____

2. three children born at the same
   time to the same mother _____

3. a silk trap spun by a spider _____

4. a covered entrance to a building _____

5. scary or spooky _____

6. a small animal with eight legs _____

What Does It Look Like?

Circle the words that describe something.
Use the words to fill in the blanks.

brown	red	tiny	shiny
orange	black	big	pretty

1. a _____ _____ grasshopper

2. a _____ _____ butterfly

3. a _____ _____ ant

4. a _____ _____ spider

Name _____

Spiders and Insects

Make an **X** in the correct box.

	spider	insect
8 legs		
6 legs		
3 body parts		
2 body parts		
no wings		
wings		

Color the spiders.
Make an **X** on the insects.

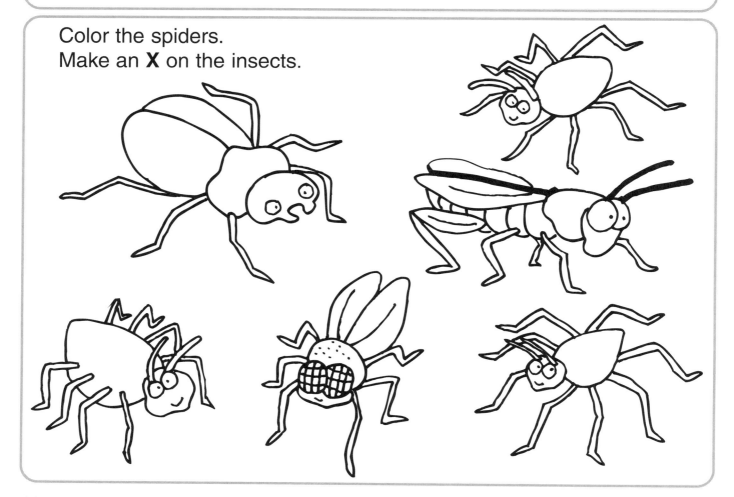

¿Eres una araña?

Cata, Lina y Pablo son trillizos. Les gustan las cosas extrañas como los bichos y los gusanos. Hoy están buscando una araña.

"Vamos a encontrar un araña," dijo Cata. "Podemos buscar en el patio de atrás. Yo creo que podemos encontrar una araña allá."

"Pero no sabemos a qué se parece una araña," dijo Lina. "¿Qué tan grande es? ¿De qué color es? ¿Cómo vamos a saber cuando encontremos una?"

Los trillizos buscaron por todo el patio. Cata encontró algo en un arbusto. "¿Eres una araña?" preguntó.

"No. Yo soy un saltamontes. Soy un insecto. Tengo seis patas. Una araña tiene ocho patas," contestó un gran saltamontes café.

Lina encontró algo debajo de un montón de hojas. "¿Eres una araña?" preguntó ella.

"No. Yo soy una hormiga. Soy un insecto. Mi cuerpo tiene tres partes. Una araña tiene dos partes," contestó la diminuta hormiga roja.

Pablo encontró algo en una mata de rosas."¿Eres una araña?" preguntó.

"No. Yo soy una mariposa. Soy un insecto. Tengo alas. Una araña no tiene alas," contestó la bella mariposa anaranjada.

Los trillizos se reunieron en el porche de atrás. "¿Encontraron una araña?" les preguntó Pablo a sus hermanas.

"No, no pudimos. Pero sabemos que una araña tiene ocho patas y su cuerpo tiene dos partes," dijo Lina. "¿Tu encontraste alguna?"

"No, pero sé que una araña no tiene alas," dijo Pablo. Justo en ese momento Pablo vio algo. "¡Miren allá arriba!" Lina y Cata miraron hacia arriba. En la esquina del techo del porche había una enorme telaraña. Colgando de la telaraña había un brillante cuerpo negro. Tenía ocho patas y su cuerpo tenía dos partes. Y no tenía alas.

"¡Es una araña!" gritó Cata con una sonrisa. "Yo sabía que íbamos a encontrar una araña."

Nombre _____

Preguntas sobre *¿Eres una araña?*

1. ¿Adónde fueron los trillizos a buscar arañas?

   _____

2. ¿Qué encontraron?

   Cata _____   Pablo _____

   Lina _____

3. ¿En dónde encontraron la araña los trillizos?

   _____

4. ¿Cómo se dieron cuenta que era una araña?

   _____

5. ¿Qué clase de animal son el saltamontes, la hormiga y la mariposa?

   _____

6. ¿Qué parte de la historia no es real?

   _____

¿Cuál queda atrapado en una telaraña? Encierra en un círculo la respuesta.

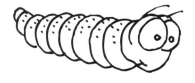  

Nombre _____

¿Qué significa?

Escribe la palabra correcta al lado de su significado.

trillizos	telaraña	araña
diminuto	porche	mata

1. una planta _____

2. tres niños nacidos al mismo tiempo
   de la misma madre _____

3. red echa de una tela de seda
   hilada por una araña _____

4. área cubierta en la entrada de una casa _____

5. chiquitito _____

6. animal pequeño con ocho patas _____

¿Cómo se ve?

Utiliza los adjetivos para llenar los espacios.

café	roja	diminuta	brillante
anaranjada	negra	gran	bella

1. Un _____ saltamontes _____

2. Una _____ mariposa _____

3. Una _____ hormiga _____

4. Una _____ araña _____

Nombre _____

Arañas e insectos

Marca con una **X** para indicar el animal correcto.

	araña	insecto
8 patas		
6 patas		
cuerpo de 3 partes		
cuerpo de 2 partes		
no tiene alas		
tiene alas		

Colorea las arañas.
Marca con una **X** los insectos.

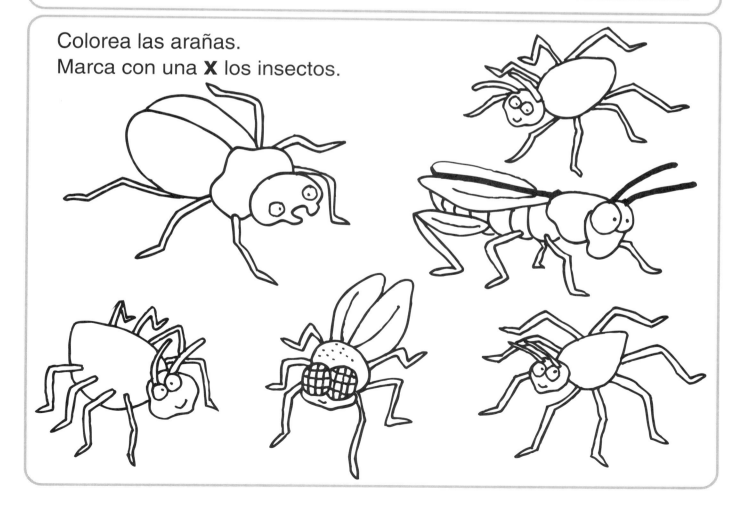

Ice Fishing with Grandfather

Will sat at his desk. He looked at his teacher, but he did not hear her. His mind was far away. "Grandfather will be here soon," he thought.

When school was out, Will ran home. He didn't stop at the store. He didn't stop at his friend's house. He didn't stop until he saw his father. "Is Grandfather here yet?" he asked.

"Be patient, Will. Your grandfather will be here soon," answered Father.

Will ran into the house. His mother was busy cooking. She laughed when she saw Will. "Be patient, Will. Your grandfather will be here soon."

Just then, someone walked into the kitchen. "Grandfather, you're here! When can we go?" shouted Will.

Grandfather laughed. "Be patient, Will. We must eat first. We will go soon."

At last, Will and Grandfather were off. They raced across the flat, frozen land in Grandfather's snowmobile. Will pulled his parka up around his face. "We will be fishing soon."

Will stood next to Grandfather. He put his fishing line into the hole. He jiggled the line. Grandfather laughed. "Be patient, Will. We will be eating fish soon."

Skills: Read for information; develop vocabulary.

Name _____

Questions About *Ice Fishing with Grandfather*

1. What did Will do when school was over?

_____

2. Why was Will in a hurry to get home?

_____

3. Where were Will and his grandfather going?

_____

4. What was his mother doing when Will got home?

_____

5. Why did Grandfather and Will use a snowmobile to go fishing?

_____

6. Why didn't Will hear his teacher that afternoon?

_____

Write the word for each picture.

_____   _____

Name _____

What Does It Mean?

Match:
1. teacher
2. soon
3. kitchen
4. laugh
5. frozen

in a short time from now
to make happy sounds
to become hard or solid because of cold
a person who helps you learn
a room where food is cooked

Color the circle to tell what the words mean.
1. His mind was far away.
   ○ He was on a trip.
   ○ He was thinking of something else.
   ○ He was asleep.

2. Be patient!
   ○ You need to go to the doctor.
   ○ Do what you are told.
   ○ Don't be in such a hurry.

Compound Words

Use these words to make compound words.

grand	snow	fly	ball
butter	cow	father	corn
mobile	pop	base	boy

1. _____

2. _____

3. _____

4. _____

5. _____

6. _____

Skills: Sequence story events; make predictions.

Name _____

What Happened Next?

Number the sentences in order.

_____ Will ran home.

_____ Will fished in a hole in the ice.

_____ Will spoke to his father.

_____ Will rode on a snowmobile with his grandfather.

_____ Will did not hear his teacher.

_____ Will's mother was cooking.

Draw what you think happened next.

Pescando en el hielo con el abuelo

Memo se sentó en su escritorio. Miró a su profesora, pero no la escuchó. Su mente estaba muy lejos. "El abuelo va a llegar pronto," pensó.

Cuando se terminó la escuela, Memo corrió a su casa. No se detuvo en la tienda. No se detuvo en la casa de su amigo. No se detuvo hasta que vio a su padre. "¿Ya está aquí mi abuelito?" preguntó.

"Ten paciencia, Memo. Pronto llegará tu abuelo," respondió su papá.

Memo entró corriendo a la casa. Su mamá estaba ocupada cocinando. Ella se rió cuando vio a Memo. "Ten paciencia, Memo. Tu abuelo va a estar aquí pronto."

En ese instante alguien entró a la cocina. "¡Abuelo, llegaste! ¿Cuándo podemos ir?" gritó Memo.

El abuelo se rió. "Ten paciencia, mi hijito. Debemos comer antes. Iremos muy pronto."

Finalmente Memo y el abuelo salieron. Corrieron a gran velocidad a través de la planicie helada en la motonieve del abuelo. Memo se cubrió la cabeza con su chaquetón esquimal. "Ya pronto estaremos pescando."

Memo se paró al lado del abuelo. Metió su cuerda de pescar dentro del hueco. Zarandeó la cuerda. El abuelo se rió. "Ten paciencia, Memo. Pronto estaremos comiendo pescado."

Nombre _____

Preguntas sobre *Pescando en el hielo con el abuelo*

1. ¿Qué hizo Memo cuando terminó la escuela?

   _____

2. ¿Por qué tenía tanto afán Memo de llegar a su casa?

   _____

3. ¿Adónde iban Memo y su abuelo?

   _____

4. ¿Qué estaba haciendo la mamá de Memo cuando él llegó
   a la casa?

   _____

5. ¿Por qué el abuelo y Memo fueron en una motonieve a pescar?

   _____

6. ¿Por qué Memo no escuchó a su profesora esa tarde?

   _____

Escribe el nombre para cada figura.

Nombre _____

¿Qué significa?

Conecta la palabra con su significado:

1. profesora   dentro de un tiempo corto
2. pronto   un sonido alegre
3. cocina   volverse duro o sólido por el frío
4. risa   una persona que te ayuda a aprender
5. congelado   el cuarto en donde se prepara la comida

Colorea el círculo para indicar el significado correcto de la expresión.

1. Su mente estaba en otro lugar.
   ◯ Estaba de viaje.
   ◯ Estaba pensando en otra cosa.
   ◯ Estaba dormido.

2. ¡Ten paciencia!
   ◯ Debes tomar una medicina.
   ◯ Debes hacer lo que te dicen.
   ◯ No debes apresurarte.

Palabras compuestas

Utiliza estas palabras para construir palabras compuestas.

mal	moto	montes	hielo
pica	cabezas	día	salta
nieve	medio	criado	rompe

1. _____   4. _____

2. _____   5. _____

3. _____   6. _____

Nombre _____

¿Qué sucedió después?

Escribe los números del 1 al 6 para indicar el ordern de los eventos en el cuento.

_____ Memo corrió a su casa.

_____ Memo pescó en un hueco en el hielo.

_____ Memo habló con su papá.

_____ Memo montó en una motonieve con su abuelo.

_____ Memo no escuchó a su profesora.

_____ La mamá de Memo estaba cocinando.

¿Qué sucedió después? Dibuja lo que tú piensas aquí.

Eric and the Bathtub

My little brother Eric is two years old. He loves everybody and everything. But what he likes best is the bathtub. Eric doesn't care if the bathtub is full or empty.

When Mom gives him a bath, she has to pull him screaming out of the tub. "Eric, you've been in the tub for half an hour. It's time to put on your pajamas and go to bed."

"No, no," screams Eric. "No jammies. Stay here."

If the tub is empty, Eric throws his toys over the side into the tub. Then he climbs in. He plays until we make him get out. We have to keep the door shut to keep him out of the tub.

Yesterday, Eric gave me a big scare. I filled the tub with bubble bath and water. Before I got into the tub, the telephone rang. I shut the bathroom door and went to pick up the phone. A minute later, when I came back, the bathroom door was open. Eric was in the tub with all his clothes on. He was covered with bubbles. And he wasn't alone.
There in the tub with Eric was our dog Pete.

"Eric, what are you doing?" I yelled.

"I'm givin' Pete a baf, Sarah," he said.

I yanked Eric and Pete out of the tub and called my mother. Mother dried them off. Then she asked, "How did you get in the bathroom?"

Eric reached up and turned the doorknob. "I'm a big boy," he said with a happy smile.

Last night, Dad put a lock on the bathroom door. He put the key where Eric can't reach it.

Name _____

Questions about *Eric and the Bathtub*

1. What does Eric like best?

   _____

2. What does Eric do when his mother takes him out of the bathtub?

   _____

3. Why did they have to keep the bathroom door shut?

   _____

4. How did Eric get into the bathroom?

   _____

5. What did Eric's father do to keep Eric out of the bathroom?

   _____

6. Why was the sister scared when she saw Eric and Pete in the bathtub?

   _____

Draw the picture for each word.

doorknob	bubbles
bathtub	key

Name _____

What Does It Mean?

Write the word by its meaning.

1. clothes to wear in bed _____

2. a boy who has the same parents as another person _____

3. has nothing in it _____

4. a way to keep something closed _____

5. to make a loud noise _____

6. a tool used to lock a door _____

7. another word for **pulled** _____

8. all by yourself _____

brother	alone	empty	lock
pajamas	yanked	key	scream

Eric cannot say some words yet.
What did he mean when he said these words?

1. jammies _____

2. baf _____

Name _____

What Happened Next?

Number the pictures in order.

Eric and the Bathtub/English 225

Enrique y la tina de baño

Mi hermano menor Enrique tiene dos años. Él quiere a todo el mundo y a todas las cosas. Pero lo que más le gusta es la tina de baño. A Enrique no le importa si la tina está llena o vacía.

Cuando Mamá lo baña, tiene que sacarlo gritando de la tina. "Enrique, has estado en la tina de baño hora y media. Es hora de ponerte la pijama e irte a dormir."

"No, no," grita Enrique. "Pijama no. Quedar aquí."

Si la tina está vacía, Enrique avienta sus juguetes allí. Después se mete a la tina. Él juega hasta que lo hacemos salir. Tenemos que mantener la puerta del baño cerrada si no queremos que se meta a la tina.

Ayer Enrique me dió un gran susto. Yo llené con agua la tina y le puse espuma de baño. Antes de meterme en la tina, sonó el teléfono. Yo cerré la puerta del baño y fui a contestar el teléfono. Un minuto más tarde, cuando regresé, la puerta del baño estaba abierta. Enrique estaba adentro de la tina con toda la ropa puesta. Estaba cubierto de espuma. Y no estaba solo. Metido en la tina con Enrique estaba nuestro perro Pedro.

"Enrique, qué estás haciendo?" le grité.

"Sara, ¿no ves que estoy bañando a Pedro?" me dijo.

Saqué de la tina bruscamente a Enrique y Pedro y llamé a mi mamá. Mi madre los secó a ambos. Entonces ella me preguntó, "¿Cómo entró al baño?"

Enrique alcanzó la perilla de la puerta y la abrió. "Yo soy un niño grande," dijo con una gran sonrisa.

Anoche Papá cerró con llave la puerta del baño. Puso la llave en un lugar dónde Enrique no la pueda alcanzar.

Nombre _____

Preguntas sobre *Enrique y la tina de baño*

1. ¿Qué es lo que más le gusta a Enrique?

   _____

2. ¿Qué hace Enrique cuando su mamá lo saca de la tina de baño?

   _____

3. ¿Por qué tienen que mantener la puerta del baño cerrada?

   _____

4. ¿Cómo entró Enrique al baño?

   _____

5. ¿Qué hizo el papá de Enrique para que Enrique ya no se metiera al baño?

   _____

   _____

6. ¿Por qué se asustó la hermana de Enrique al verlo en la tina con Pedro?

   _____

   _____

Haz un dibujo para cada palabra.

la perilla de la puerta	la espuma
la tina de baño	la llave

Nombre _____

¿Qué significa?

Escribe la palabra correcta al lado de su significado.

1. ropa para ponerse al dormir _____

2. niños que nacen de los mismos padres _____

3. sin nada adentro _____

4. impedir la entrada _____

5. hacer un sonido fuerte _____

6. una herramienta para cerrar una puerta _____

7. otra palabra para **bruscamente** _____

8. sin nadie mas _____

hermanos	solo	vacío	cerrar
pijama	con fuerza	llave	gritar

A veces los niños pequeños no hablan como las personas mayores. Lee estas palabras que Enrique dijo en el cuento. Luego, escribe lo que una persona grande diría.

"Pijama no. Quedar aquí."

_____

_____

_____

Nombre _____

¿Qué sucedió después?

Escribe los números del 1 al 6 para indicar el orden de los eventos en el cuento.

Masumi's Party

It's a **PARTY** and **YOU** **ARE INVITED**

WHERE... Green Park
WHEN... Saturday June 3   12-3
WHY... Masumi's Birthday

Masumi invited five friends to a party. It was her birthday, and she wanted a picnic at the park. Her friends came at noon. Balloons and funny hats were on the picnic table. Small sacks were sitting by the plates. "Find the sack with your name," said Masumi. "That's your place to sit."

Masumi's friends found their places and sat down. Soon, everyone had on a funny hat. "What's in the sack?" asked Lena.

"You will see later," answered Masumi. Mother made sushi and pink lemonade for the party. That was what Masumi wanted. There were hot dogs and potato chips, too.

After lunch, everyone played in the park. They slid down the slide and swung on the swings. They took turns going on the teeter-totter.

"It's time for birthday cake," called Mother. Everyone ran back to the picnic table. Masumi made a wish and blew out her candles. After cake and presents, she said, "Now you can open your sacks." Everyone found something they liked in the sack.

"Thank you, Masumi," said all her friends.

Soon, it was time to go home. A happy crowd of friends walked out of the park. They all had funny hats, balloons, and a nice surprise from Masumi.

Masumi hugged her mother and whispered, "This was the best party I ever had. Thank you, Mother."

Name _____

Questions About Masumi's Party

1. What kind of party did Masumi have?

   _____

2. Who came to the party?

   _____

3. How was the table set?

   _____

4. What did they eat for lunch?

   _____

5. What did Masumi and her friends play on at the park?

   _____

6. When did the children get to look in the sacks?

   _____

7. How did Masumi feel about her party?

   _____

A Birthday Party

Get a sheet of paper. Write about a birthday party.
Be sure to answer these questions.

    Where was the party?
    What did you eat?
    What did you do?

Name _____

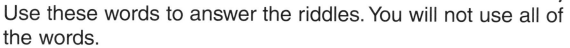

What Does It Mean?

Use these words to answer the riddles. You will not use all of the words.

sack	lunch	picnic	teeter-totter
hat	balloon	swing	lemonade
slide	friend	sushi	park

You sit on this and go up and down. _____	You can carry things in this. _____	This is someone who likes you, too. _____
This is an outdoor meal. _____	This is a rubber toy filled with air. _____	You wear this on your head. _____
This is a meal you eat at noon. _____	This is a food made from rice and fish. _____	This is something to drink. _____

Name _____

What Is in the Sack?

Look at the picture. Read what Masumi is saying.
Color in the circle to answer the question.

What is in the sacks?
- ○ lunch
- ○ surprises for her friends
- ○ nothing

I hope you like what is in your sack.

What is in Lena's sack?
- ○ pencils
- ○ a brush and paints
- ○ green and blue paper

Will you paint me a picture, Lena?

What is in Kelly's sack?
- ○ jacks and a ball
- ○ a little bear
- ○ candy hearts

Can I play with your game, Kelly?

What is in Tonya's sack?
- ○ blue socks
- ○ a little purse
- ○ a red ribbon

That will look pretty in your hair, Tonya.

What is in Sally's sack?
- ○ a book
- ○ paper dolls
- ○ a diary

I hope you like this story, Sally.

La fiesta de Lian

Lian invitó a cinco amigas a una fiesta. Era su cumpleaños y ella quería un día de campo en el parque. Sus amigas llegaron al mediodía. En la mesa campestre había globos y sombreros divertidos. En los platos había pequeños bocadillos. "Encuentra la bolsa con tu nombre," les dijo Lian. "Ése es tu puesto para sentarte."

Las amigas de Lian encontraron su puesto y se sentaron. Muy pronto cada una tenía puesto un sombrero divertido. "¿Qué hay en la bolsa?" preguntó Laura.

"Más adelante sabrán," contestó Lian. Su mamá había preparado sushi y limonada para la fiesta. Eso era lo que Lian quería. Había también perros calientes y papas fritas.

Después del almuerzo, todas jugaron en el parque. Se deslizaron en el tobogán y se columpiaron en los columpios. Tomaron turnos para montar en el balancín.

"Es la hora de la tarta de cumpleaños," llamó la mamá. Todas corrieron a la mesa. Lian pidió un deseo y sopló las velas. Después de la tarta y los regalos, ella dijo, "Ahora pueden abrir sus bolsas." Cada una encontró en la bolsa algo que le gustaba.

"Gracias, Lian," dijeron todas sus amigas.

Llegó la hora de irse a casa. El grupo de amigas salió contenta del parque. Todas tenían sombreros divertidos, globos y una linda sorpresa de Lian.

Lian abrazó a su mamá y le susurró, "Este fue el mejor cumpleaños que he tenido. Gracias, Mamá."

Nombre _____

Preguntas sobre *La fiesta de Lian*

1. ¿Qué clase de fiesta tuvo Lian?

   _____

2. ¿Quién fue a la fiesta?

   _____

3. ¿Qué había en la mesa?

   _____

4. ¿Qué almorzaron?

   _____

5. ¿Con qué jugaron Lian y sus amigas en el parque?

   _____

6. ¿Cuándo miraron las niñas lo que había en las bolsas?

   _____

7. ¿Cómo se sintió Lian en su cumpleaños?

   _____

Una fiesta de cumpleaños

Toma una hoja de papel. Escribe sobre una fiesta de cumpleaños. Contesta las siguientes preguntas.

¿En dónde fue la fiesta?
¿Qué comiste?
¿Qué hiciste?

Nombre _____

¿Qué significa?

Utiliza estas palabras para contestar las adivinanzas. No vas a usar todas las palabras.

la bolsa	el almuerzo	el día de campo	el balancín
el sombrero	el globo	el columpio	la limonada
el tobogán	la amiga	el sushi	el parque

Te sientas en él y vas para arriba y para abajo. _____	Puedes poner cosas dentro de esto. _____	Es alguien con quien te llevas bien. _____
Es un lugar para jugar o pasar un día de campo. _____	Es un juguete que inflas con aire. _____	Te pones esto en la cabeza. _____
Es una comida al mediodía. _____	Es una comida echa con arroz y pescado. _____	Esto es algo de beber. _____

Nombre _____

¿Qué hay en la bolsa?

Mira los dibujos. Lee lo que Lian dice.
Colorea él circulo que tiene la respuesta correcta.

¿Qué hay en las bolsas?
- ○ el almuerzo
- ○ sorpresas para sus amigas
- ○ nada

Espero que les guste lo que hay en las bolsas.

¿Qué hay en la bolsa de Laura?
- ○ dulces
- ○ un pincel y pinturas
- ○ papel azul y verde

¿Me pintas un dibujo, Laura?

¿Qué hay en la bolsa de Katia?
- ○ una cuerda de saltar
- ○ un osito
- ○ corazones de dulce

¿Puedo saltar yo, Katia?

¿Qué hay en la bolsa de Tatiana?
- ○ unos calcetines azules
- ○ una pequeña cartera
- ○ una cinta roja

Se te va a ver linda en tu pelo, Tatiana.

¿Qué hay en la bolsa de Sandra?
- ○ un libro
- ○ muñecas de papel
- ○ un diario

Espero que te guste la historia, Sandra.

It's Snowing!

Snow is falling to the ground
Leaving lacy flakes around.

A snowy day is a lot of fun! Put on your mittens and boots and run outside. Make snow angels or a big snowman. Or jump on your sled and race down a hill. But where does all that snow come from?

Clouds are made of tiny drops of water. When these drops of water freeze, snowflakes are made. The snowflakes get bigger and heavier. Then they fall to earth.

If the land is warm, the snowflakes melt when they hit the ground. If the land is cold, the snow stays. Soon, the ground is covered with a blanket of white. Trees, bushes, and rooftops wear white coats, too.

Snowflakes have six sides. Most of them are flat. No two snowflakes look just alike. The next time it snows, catch a snowflake on a piece of black paper. Look at the snowflake before it melts. Can you count the six sides? Can you find two that are just alike?

Name _____

Questions About *It's Snowing!*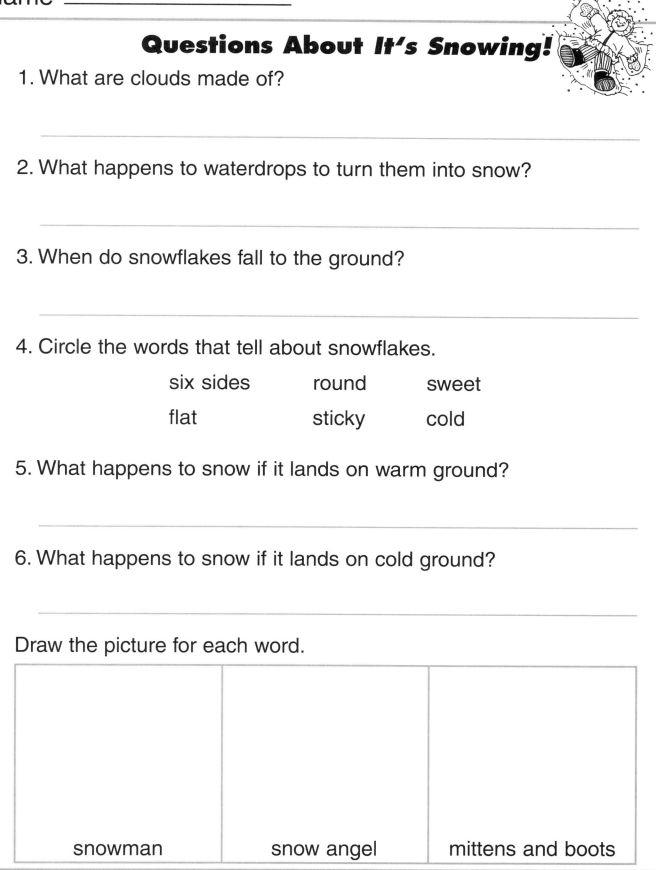

1. What are clouds made of?

   _____

2. What happens to waterdrops to turn them into snow?

   _____

3. When do snowflakes fall to the ground?

   _____

4. Circle the words that tell about snowflakes.

six sides	round	sweet
flat	sticky	cold

5. What happens to snow if it lands on warm ground?

   _____

6. What happens to snow if it lands on cold ground?

   _____

Draw the picture for each word.

snowman	snow angel	mittens and boots

Name _____

What Does It Mean?

Write the word by its meaning.

1. frozen flakes falling from the sky _____

2. to make water solid _____

3. a group of waterdrops in the sky _____

4. looks like lace _____

5. to turn from ice to water _____

6. to go fast _____

7. used to ride on snow _____

8. the same _____

snow	race	lacy	freeze
cloud	alike	sled	melt

Two Sounds of ow

Read the words. Write the sound you hear.

dow**n–ow**   sn**ow–ō**

1. grow ___ō___

2. wow _____

3. flower _____

4. blow _____

5. mower _____

6. crowd _____

7. show _____

8. frown _____

9. low _____

10. now _____

Name _____

Make a Snowflake

1. Cut out the square.
2. Fold it like this:

a.    b.    c.

3. Cut.

a.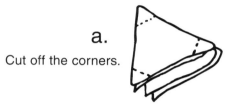

Cut off the corners.

b.

Make cuts in the sides.

4. Open the snowflake.

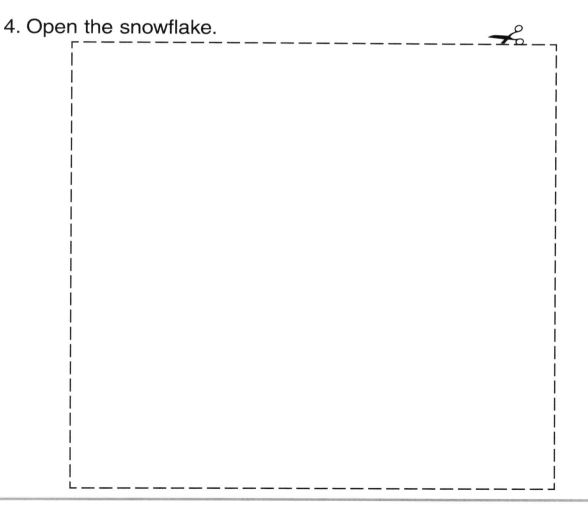

¡Está nevando!

*La nieve cae sobre el suelo
como encaje que cae desde el cielo.*

¡Un día nevado es muy divertido! Ponte tus guantes y botas y corre afuera. Forma ángeles de nieve o un gran muñeco de nieve. O monta tu trineo y organiza carreras colina abajo. ¿Pero de dónde viene toda esa nieve?

Las nubes están hechas de diminutas gotas de agua. Cuando estas gotas de agua se congelan, se convierten en copos de nieve. Los copos de nieve se vuelven más grandes y pesados. Después caen a la tierra.

Si la tierra está cálida, los copos de nieve se derriten cuando tocan el suelo. Si la tierra está fría, la nieve se queda ahí. Pronto el suelo está cubierto con una manta blanca. Los árboles, arbustos y tejados también visten abrigos blancos.

Los copos de nieve tienen seis lados. La mayoría son planos. No existen dos copos de nieve que sean iguales. La próxima vez que caiga nieve, atrapa un copo de nieve en un pedazo de papel negro. Mira el copo de nieve antes de que se derrita. ¿Puedes contar los seis lados? ¿Puedes encontrar dos que sean iguales?

Nombre _____

Preguntas sobre *¡Está nevando!*

1. ¿De qué están hechas las nubes?

   _____

2. ¿Qué les pasa a las gotas de agua cuando seconvierten en nieve?

   _____

3. ¿Cuándo caen los copos de nieve al suelo?

   _____

4. Encierra en un círculo las palabras que hablan sobre los copos de nieve.

seis lados	redondos	dulces
planos	pegajosos	fríos

5. ¿Qué le pasa a la nieve cuando cae en la tierra cálida?

   _____

6. ¿Qué le pasa a la nieve cuando cae sobre tierra fría?

   _____

Haz un dibujo para cada palabra.

un muñeco de nieve	un ángel de nieve	unos guantes y unas botas

Nombre _____

¿Qué significa?

Escribe la palabra al lado de su significado.

1. copos congelados que caen del cielo _____

2. volver sólida el agua _____

3. diminutas gotas de agua en el cielo _____

4. tejido de hilos _____

5. transformarse de hielo a agua _____

6. desplazamiento rápido _____

7. vehículo sin ruedas para ir sobre
la nieve _____

8. muy parecido o semejante _____

nieve	carrera	encaje	congelar
nube	igual	trineo	derretir

¿Se escribe con v o b?

Escribe la letra correcta en cada espacio.
Repasa el cuento si necesitas ayuda.

ne___ado   di___ertido   ne___ada

___otas   ár___ol   nu___es

a___rigo   ___iene   ___ez

Nombre _____

Haz un copo de nieve

1. Recorta el cuadrado de abajo.
2. Dóblalo de la siguiente manera:

a.    b.    c.

3. Corta.

a.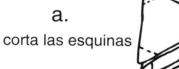
corta las esquinas

b.
haz cortes a los lados

4. Abre el copo de nieve.

The Country Mouse and the City Mouse

One sunny spring day, City Mouse went to visit his cousin in the country. Country Mouse was happy to see his cousin. He made a bed of straw in the barn. "You can sleep here," he told City Mouse. He gathered seeds. "Here are seeds to eat," said Country Mouse.

"I don't see how you can eat this food," said City Mouse. "And how can you sleep in straw? Come to the city with me and I'll show you how to live."

The two mice set off for town. It was late when they came to the house where City Mouse lived. City Mouse showed his cousin a nest of cotton rags. "This is where we will sleep," he said. "But let's eat before we go to bed."

City Mouse led his cousin to the dining room. Soon, the mice were eating bread crusts, peas, and cake. While the mice were eating, danger was coming closer. Suddenly, they heard a loud snarl. "It's the cat!" shouted City Mouse.

In the blink of an eye, the cat pounced. The mice scampered off the table and ran into a hole in the wall. Country Mouse could feel his heart pounding. "As soon as the cat is gone, I'm going home."

"Why are you going so soon?" asked City Mouse.

"It's better to eat seeds in a safe place," said Country Mouse, "than to eat cake where there is danger." And off he went.

Name _____

Questions About
The Country Mouse and the City Mouse

1. When did City Mouse visit his cousin?

   _____

2. Which mouse lived in a barn?

   _____

3. What did Country Mouse do for his cousin?

   _____

4. Why did the mice go to the city?

   _____

5. What did the mice find to eat on the table?

   _____

6. What danger did the mice find in the city?

   _____

7. Why are cats dangerous to mice?

   _____

8. What lesson did Country Mouse learn?

   _____

Name _____

What Does It Mean?

Match:

visit	dried grain stems
straw	your uncle's child
cousin	a place outside of town
scamper	the brown edges of bread
danger	something harmful
crusts	to go to see someone
country	to run

What does **in the blink of an eye** mean?

_____

Draw the picture for each word or words.

City Mouse	Country Mouse
straw	seeds

Name _____

Who Said It?

Draw lines from each mouse to what he said.

- "Here are seeds to eat."

- "But let's eat before we go to bed."

- "How can you sleep in straw?"

- "I'm going home."

- "Come to the city with me and I'll show you how to live."

- "It's the cat!"

- "It's better to eat seeds in a safe place than to eat cake where there is danger."

- "You can sleep here."

El ratón de campo y el ratón de ciudad

Un soleado día de primavera, el ratón de ciudad fue a visitar a su primo en el campo. El ratón de campo estaba feliz de ver a su primo. Le hizo una cama de paja en el establo. "Puedes dormir aquí," le dijo al ratón de ciudad. También recogió unas semillas. "Aquí hay semillas para comer," dijo el ratón de campo.

"No sé cómo puedes comer esta comida," dijo el ratón de ciudad. "¿Y cómo puedes dormir en una cama de paja? Ven a la ciudad conmigo y te mostraré cómo se vive."

Los dos ratones salieron para la ciudad. Ya era tarde cuando llegaron a la casa donde vivía el ratón de ciudad. El ratón de ciudad le mostró un nido hecho con retazos de algodón. "Aquí es donde dormiremos," le dijo. "Pero comamos algo antes de acostarnos."

El ratón de cuidad condujo a su primo al comedor. Pronto los ratones estaban comiendo cáscara de pan, chícharos y pastel. Mientras los ratones estaban comiendo, algo peligroso se acercaba. De repente oyeron un fuerte rugido. "¡Es el gato!" gritó el ratón de ciudad.

En un abrir y cerrar de ojos, el gato se lanzó hacia ellos. Los ratones salieron corriendo de la mesa a toda prisa y se metieron en un hueco en la pared. El ratón de campo podía sentir su corazón latiendo. "Tan pronto como se vaya el gato, me voy a casa."

"¿Por qué te vas tan pronto?" preguntó el ratón de ciudad.

"Es mejor comer semillas en un lugar seguro," dijo el ratón de campo, "que comer pastel en donde hay peligro." Y diciendo esto se fue.

Nombre _____

Preguntas sobre
El ratón de campo y el ratón de ciudad

1. ¿Cuándo visitó el ratón de ciudad a su primo?

   _____

2. ¿Cuál ratón vivía en un establo?

   _____

3. ¿Qué hizo el ratón de campo por su primo?

   _____

4. ¿Por qué se fueron los ratones a la ciudad?

   _____

5. ¿Qué encontraron para comer en la mesa?

   _____

6. ¿Qué peligro encontraron los ratones en la ciudad?

   _____

7. ¿Por qué son peligrosos los gatos para los ratones?

   _____

8. ¿Qué lección aprendió el ratón de campo?

   _____

   _____

Nombre _____

¿Cuál es el significado?

Conecta la palabra con su significado:

visita	tallos de granos secos
paja	el hijo del tío
primo	un lugar fuera de la ciudad
a toda prisa	la parte dura de afuera de la fruta
peligro	algo dañino
cáscaras	ir a ver a alguien
campo	irse corriendo

¿Que significa en un **abrir y cerrar de ojos**?

_____

Haz un dibujo para cada palabra o palabras.

un ratón de ciudad	un ratón de campo
un montón de paja	unas semillas

Nombre _____

¿Quién lo dijo?

Dibuja líneas desde cada ratón y conéctalas con lo que dijeron.

- "Aquí hay semillas para comer."

- "Pero comamos algo antes de irnos a dormir."

- "¿Cómo puedes dormir sobre paja?"

- "Me voy a casa."

- "Ven a la ciudad conmigo y te muestro cómo se vive."

- "¡Es el gato!"

- "Es mejor comer semillas en un lugar seguro que comer pastel donde hay peligro."

- "Puedes dormir aquí."

Gilly's Surprise

Gilly loves chickens. She loves the fluffy little chicks and the fat hens. She even loves the noisy rooster with his big tail feathers. Every day, Gilly feeds the chickens. She gives them fresh water. She helps her dad clean out the coop and spread new straw. But the job she likes best is gathering the eggs that the hens lay. That is, she liked it best until yesterday.

When Gilly got home from school yesterday, her mother said, "Gilly, will you please gather the hens' eggs for me?" Gilly changed into her play clothes, got her egg basket, and headed for the chicken coop. Each hen had a little wooden box full of straw where she could lay her eggs.

Gilly reached into the first box and pulled out a smooth, warm brown egg. She reached into the second box and pulled out a smooth, warm white egg. She reached into the third box. "Eek!" she yelled, as she dropped a wiggly, furry gray thing. She watched as a wee gray mouse ran through the wire fence and out of the chicken coop.

Gilly ran up to the house. "Mom, Mom, come quick!" shouted Gilly. "It was in the nest. I thought it was an egg, but it was a mouse. Yech! I touched a mouse!"

"Calm down, Gilly. It's all right," said Mom in a quiet voice. "The little mouse was just looking for food. Mice like the chickens' food. Go wash your hands. I'll finish collecting the eggs."

After dinner, Gilly's father put a trap in the coop to catch the mouse. "Will the trap hurt the mouse?" asked Gilly.

"No, this trap will catch the mouse alive. We will take it to the cow pasture and let it go," explained her father.

Gilly still gathers the eggs, but she looks into each nest before she picks up anything!

Name _____

Questions About *Gilly's Surprise*

1. Tell four things Gilly did to help take care of the chickens.

   _____

2. What did Mother ask Gilly to do when she got home from school?

   _____

3. What scared Gilly?

   _____

4. What is going to happen to the mouse?

   _____

5. Do you think the mouse will come back? Why?

   _____

   _____

6. How do you think the mouse felt when Gilly picked it up?

   _____

How Did Gilly Feel?

Color the face to show how Gilly felt.

☺ ☹ 1. when she fed the chickens

☺ ☹ 2. when she touched the wiggly gray thing

☺ ☹ 3. when she picked up a smooth, warm egg

☺ ☹ 4. when she saw she was holding a mouse

Skill: Develop vocabulary.

Name _____

What Does It Mean?

Circle the answer.

1. What would you find in a **coop**?
   a. hens
   b. pigs
   c. goats

2. What is a word that means **wee**?
   a. old
   b. wet
   c. tiny

3. How do you feel if you are **calm**?
   a. hungry
   b. quiet
   c. silly

4. What would you do with a **trap**?
   a. cook in it
   b. catch an animal in it
   c. go for a ride in it

5. What grows in a **pasture**?
   a. grass
   b. carrots
   c. roses

Draw the answer.

What was smooth, warm, and brown?

What was wiggly, furry, and gray?

Name _____

Chickens

Hen   Chick   Rooster

Write about how to take good care of a flock of chickens.

_____

_____

_____

_____

_____

What Do You Do with an Egg?

Make a list of ways to use an egg.

Circle the way you like eggs best.

La sorpresa de Gina

A Gina le encantan los pollos. Le gustan esas bolitas de pelusa que son los pollitos. También le gustan las gallinas gorditas. Hasta el gallo ruidoso con su gran cola de plumas le encanta. Todos los días Gina alimenta a los pollos. Les da agua fresca. Le ayuda a su papá a limpiar el gallinero y a poner paja nueva. Pero el trabajo que más le gusta es recoger los huevos que ponen las gallinas. Hasta el día de ayer, por lo menos, eso era lo que más le gustaba.

Ayer cuando Gina llegó del colegio, su mamá le dijo, "Gina, ¿me puedes recoger los huevos?" Gina se puso su ropa de jugar, cogió la canasta de los huevos y se dirigió al gallinero. Cada gallina tenía una pequeña caja de madera rellena de paja para poner sus huevos.

Gina revisó la primera caja y sacó un huevo café suave y caliente. Revisó la segunda caja y sacó un huevo blanco suave y caliente. Revisó la tercera caja. "¡Ayyy!" gritó mientras dejaba caer algo peludo y gris que se retorcía en su mano. Ella vio a un diminuto ratón gris correr por la paja, pasando por el cerco de alambre para escaparese del gallinero.

Gina corrió a la casa. "¡Mami, Mami, ven rápido!" gritó Gina. "Estaba en el nido. Pensé que era un huevo, pero era un ratón. ¡Fuchi! ¡Toqué un ratón!"

"Cálmate, Gina. Está bien," dijo Mamá con voz tranquila. "El ratoncito solamente buscaba comida. A los ratones les gusta la comida de las gallinas. Ve a lavarte las manos. Yo termino de recolectar los huevos."

Después de la comida, el papá de Gina puso una trampa en el gallinero para atrapar el ratón. "¿La trampa le va a hacer daño al ratón?" preguntó Gina.

"No, esta trampa atrapa al ratón vivo. Después lo llevaremos a la pradera y lo dejaremos ir," le explicó su padre.

Gina todavía recoge los huevos para la familia, ¡pero mira bien a cada nido antes de meter la mano!

Nombre _____

Preguntas sobre
La sorpresa de Gina

1. Escribe tres cosas que Gina hizo para ayudar a cuidar los pollos.

   _____

2. ¿Qué le pidió la mamá que hiciera Gina cuando regresó del colegio?

   _____

3. ¿Qué asustó a Gina?

   _____

4. ¿Qué le va a pasar al ratón?

   _____

5. ¿Piensas que el ratón va a regresar? ¿Por qué?

   _____

6. ¿Cómo crees que se sintió el ratón cuando Gina lo recogió?

   _____

¿Cómo se sintió Gina?

Colorea la cara que muestra cómo se sintió Gina.

☺ ☹ 1. cuando alimentaba los pollos

☺ ☹ 2. cuando tocó esa cosa gris que se retorcía

☺ ☹ 3. cuando recogió un huevo suave y caliente

☺ ☹ 4. cuando vio que tenía en la mano un ratón

Nombre _____

¿Qué significa?

Encierra en un círculo la respuesta.

1. ¿Qué encuentras en un **gallinero**?

    a. gallinas

    b. cerdos

    c. cabras

2. ¿Qué palabra significa **diminuto**?

    a. viejo

    b. mojado

    c. pequeñito

3. ¿Cómo te sientes si estás **calmado**?

    a. hambriento

    b. tranquilo

    c. tonto

4. ¿Qué harías con una **trampa**?

    a. cocinar en ella

    b. atrapar un animal en ella

    c. ir de paseo en ella

5. ¿Que crece en la **pradera**?

    a. hierba

    b. zanahorias

    c. rosas

Dibuja la respuesta.

¿Qué es suave, caliente y café?

¿Qué es peludo, gris y se mueve rápidamente?

Nombre _____

Los pollos

Gallina   Pollito   Gallo

Escribe cómo se cuida bien a un grupo de pollos.

_____

_____

_____

_____

_____

_____

¿Qué se hace con un huevo?

Haz una lista de las cosas que puedes hacer con un huevo.

_____   _____

_____   _____

_____   _____

Encierra en un círculo tu forma preferida de comer los huevos.

Bones

Yolanda loved playing on the monkey bars at recess. One day, as she was turning a flip, she fell off. "Ow! My arm hurts," she cried. Yolanda's father came and took her to the hospital.

"Yolanda, your arm is broken," the doctor said. He showed her an X-ray of her arm. Yolanda could see the broken bone. The doctor put a cast on her arm. "Your arm will get better," he said. "The bone will grow back together."

Yolanda took the X-ray to school the next day. She showed it and her cast to the class. She told them what the doctor said about her arm.

Her teacher, Mrs. Davis, told the class more about bones. "All of you have many bones. These bones make your skeleton. If you didn't have a skeleton, you would be as saggy as a beanbag. The bones in your skeleton help you move." The recess bell rang. Everyone went out to play.

After recess, Mrs. Davis showed the class a picture of a skeleton. "Bones can't bend, so a skeleton has joints. Joints are like the hinges on a door. Joints let your ankles and knees and wrists and elbows bend. You have joints in your jaw, hips, and shoulders, too."

Mrs. Davis told the class many things about their skeletons. She said that good food and exercise help bones grow and stay strong. Then it was time for lunch.

"I'm going to eat my vegetables and drink my milk," said Yolanda. "I want to keep my bones strong."

Name _____

Questions about Bones

1. How did Yolanda hurt her arm?

_____

2. How did the doctor know Yolanda's arm was broken?

_____

3. What did the doctor put on Yolanda's arm?

_____

4. What did Yolanda share with the class?

_____

5. How can you keep your skeleton strong?

_____

6. Why do you think Yolanda fell off the monkey bars?

_____

7. How could Yolanda be safer when she plays on the monkey bars?

_____

What About You?

Circle the answers.

Did you ever fall off the monkey bars?   yes   no

Did you ever have an X-ray?   yes   no

Did you ever break a bone?   yes   no

Name _____

Bones Crossword Puzzle

Word Box

cast
doctor
hospital
joint
skeleton
skull
X-ray

Across

2. a place to take care of sick and hurt people
4. the bones in your head
6. a person who takes care of sick and hurt people
7. a hard cover to keep a broken bone from moving

Down

1. a picture of your bones
3. all the bones in a body
5. the place where two bones come together and move

Name _____

Skeleton

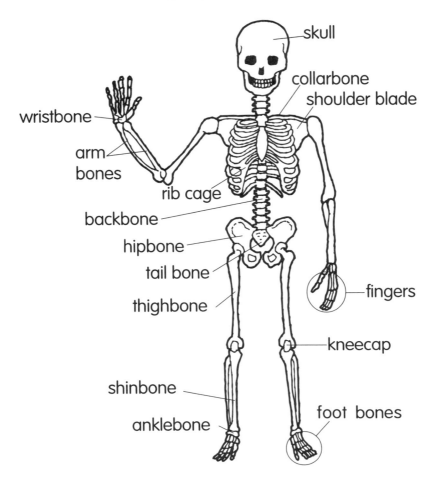

skull

collarbone
shoulder blade

wristbone

arm
bones

rib cage

backbone

hipbone

tail bone

thighbone

fingers

kneecap

shinbone

anklebone

foot bones

Look at the skeleton.
Name these bones.

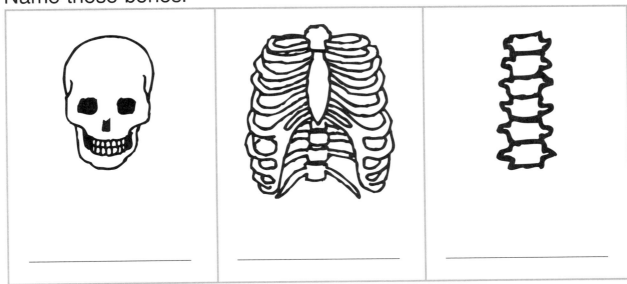

_____   _____   _____

Los huesos

A Yolanda le encantaba jugar en el pasamanos durante el recreo. Un día mientras hacía una pirueta, se cayó. "¡Ay! Me duele el brazo," dijo llorando. El papá de Yolanda llegó y la llevó al hospital.

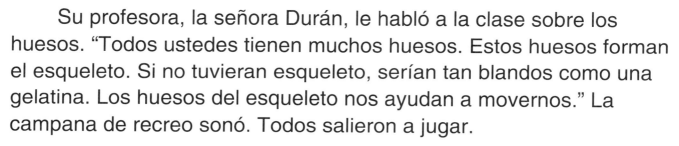

"Yolanda, tienes un hueso partido," le dijo el doctor. Le mostró una radiografía del brazo. Yolanda pudo ver la fractura del hueso. El doctor le enyesó el brazo. "Tu brazo se va a mejorar," le dijo. "La fractura se va a cerrar."

Yolanda se llevó la radiografía al colegio al día siguiente. Se la mostró a sus compañeros de clase. También les enseñó su yeso. Les contó lo que el doctor le dijo sobre su brazo.

Su profesora, la señora Durán, le habló a la clase sobre los huesos. "Todos ustedes tienen muchos huesos. Estos huesos forman el esqueleto. Si no tuvieran esqueleto, serían tan blandos como una gelatina. Los huesos del esqueleto nos ayudan a movernos." La campana de recreo sonó. Todos salieron a jugar.

Después del recreo, Sra. Durán le mostró a la clase un dibujo del esqueleto. "Los huesos no se pueden doblar. Por eso los esqueletos tienen articulaciones. Las articulaciones son como las bisagras en una puerta. Las articulaciones permiten que los tobillos, las rodillas, las muñecas y los codos se doblen. Tenemos también articulaciones en la mandíbula, las caderas y los hombros."

La señora Durán les contó en clase muchas cosas sobre los esqueletos. Dijo que una buena alimentación y el ejercicio ayudan a los huesos a crecer y mantenerse fuertes. Ya era la hora del almuerzo.

"Voy a comer mis vegetales y tomarme la leche," dijo Yolanda. "Quiero mantener mis huesos fuertes."

Nombre _____

Preguntas sobre *Los huesos*

1. ¿Cómo se lastimó el brazo Yolanda?

   _____

2. ¿Cómo se dio cuenta el doctor que el brazo de Yolanda estaba roto?

   _____

3. ¿Qué le puso el doctor al brazo de Yolanda?

   _____

4. ¿Qué compartió Yolanda con su clase?

   _____

5. ¿Cómo se mantiene un esqueleto fuerte?

   _____

6. ¿Por qué crees que Yolanda se cayó del pasamanos?

   _____

7. ¿Qué puede hacer Yolanda cuando juega en el pasamanos para no lastimarse?

   _____

¿Y tú?

Encierra en un círculo las respuestas.

¿Alguna vez te caíste de un pasamanos?   sí   no

¿Alguna vez tuviste una radiografía?   sí   no

¿Alguna vez te rompiste un hueso?   sí   no

Nombre _____

Crucigrama de huesos

Palabras

articulación
doctor
esqueleto
fractura
hospital
radiografía
yeso

Horizontales

2. un lugar para llevar gente herida o enferma
4. un hueso partido
5. una cubierta dura que mantiene inmóvil al hueso roto
7. el lugar donde dos huesos se unen y permiten el movimiento

Verticales

1. una foto de los huesos
3. todos los huesos del cuerpo
6. la persona que cuida gente enferma o herida

Nombre _____

El esqueleto

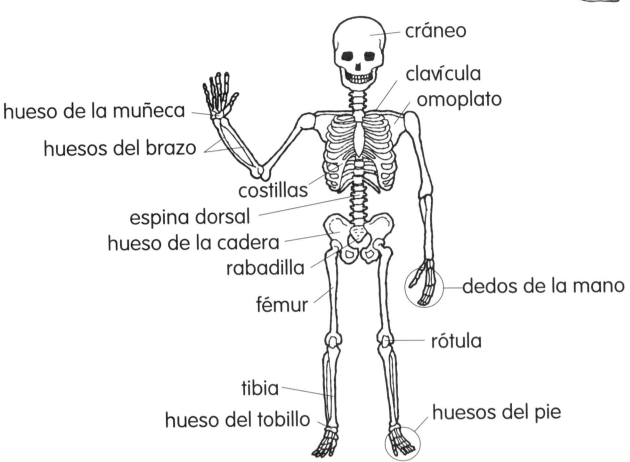

cráneo

clavícula

omoplato

hueso de la muñeca

huesos del brazo

costillas

espina dorsal

hueso de la cadera

rabadilla

fémur

dedos de la mano

rótula

tibia

hueso del tobillo

huesos del pie

Mira el esqueleto.

Escribe los nombres de estos huesos.

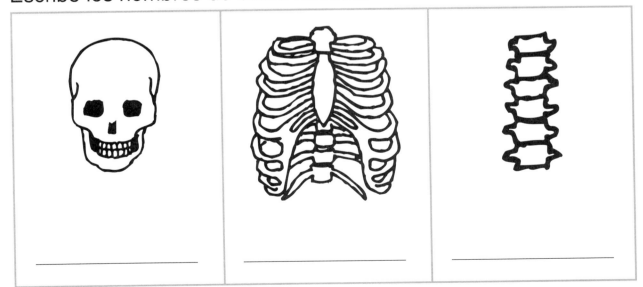

_____ _____ _____

Pen Pals

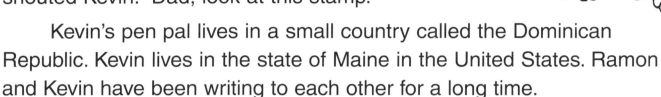

"Kevin," called Father, "please go pick up the mail." Kevin ran to the mailbox in front of the house. He was in a hurry to see if his pen pal had sent him a letter.

"Oh, boy! I got a letter from Ramon!" shouted Kevin. "Dad, look at this stamp."

Kevin's pen pal lives in a small country called the Dominican Republic. Kevin lives in the state of Maine in the United States. Ramon and Kevin have been writing to each other for a long time.

"I wonder what he's been doing," said Kevin as he opened the envelope. The letter said:

Dear Kevin,

How are you? I am fine. I have been playing baseball with my friends every day after school. I'm the catcher. I wish you could come and play with us.

We are going to a party at my aunt's house on Saturday. She is going to make my favorite chicken stew. It has plantains, chicken, sausage, and vegetables in it. I hope I get a chicken foot in my bowl.

What are you doing?

Your friend,

Ramon

Kevin put the letter back in the envelope and ran upstairs to get a pencil and some paper. He wrote:

Dear Ramon,

Thank you for the letter. I wish I could come and play baseball with you and your friends. I am pitcher on my Little League team this year.

Did you really get a chicken foot in your stew? What does a chicken foot taste like? My grandmother makes chicken stew, too. But her stew has chicken and noodles and gravy. We never eat the feet. I didn't know what a plantain was. My mother told me it is a kind of banana.

Next week is July 4. We are going to have a picnic in the park. When it is dark we will watch the fireworks. Do you ever have picnics and fireworks?

Your friend,
Kevin

Kevin put the letter in an envelope. He wrote Ramon's name and address on the envelope. Kevin wrote his own name and address in the left corner of the envelope as the return address. He put a stamp on the envelope and took the letter to the mailbox. "I hope Ramon writes me back soon. I like getting letters from my pen pal."

Name _____

Questions About Pen Pals

1. Why was Kevin in a hurry to get the mail?

_____

2. Who is Kevin's pen pal and where does he live?

_____

3. What did Kevin want to know about chicken feet?

_____

4. What three things must you put on an envelope before you mail a letter?

_____

5. What does Kevin's family do on the 4th of July?

_____

6. What do pen pals do?

_____

Write the names of the pictures.

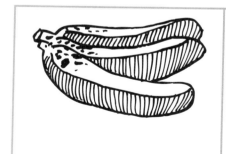

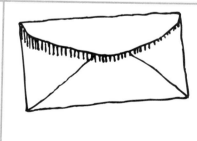

_____   _____   _____

Name _____

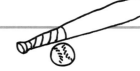

What Does It Mean?

Match to make a sentence.

1. Pen pals	tells where you live.
2. A letter is	a country.
3. Your address	write letters to each other.
4. The United States is	a kind of banana.
5. A plantain is	a message sent by mail.
6. Stew is	meat and vegetables cooked together.

Name the parts of the envelope.

1. _____

2. _____

3. _____

4. _____

Kevin James
112 Elm Street
Brunswick, Maine 04011

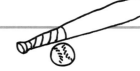

Ramon Fernandez
7 Calle del Sol
La Vega
Dominican Republic

Name _____

_____'s Pen Pal

(your name)

Pretend you have a pen pal. Write a letter to your pen pal.
Tell about yourself.

Dear _____,

_____

_____

_____

_____

_____

_____

_____

Your friend,

_____

Amigos por correspondencia

"Gustavo," llamó Papá, "por favor, ve a recoger el correo." Gustavo corrió al buzón del correo al frente de la casa. Estaba ansioso por saber si su amigo por correspondencia le había enviado una carta.

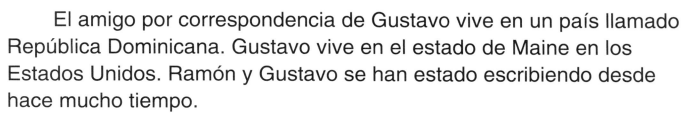

"¡Qué bien! ¡Me llegó una carta de Ramón!" gritó Gustavo. "Papá, mira esta estampilla."

El amigo por correspondencia de Gustavo vive en un país llamado República Dominicana. Gustavo vive en el estado de Maine en los Estados Unidos. Ramón y Gustavo se han estado escribiendo desde hace mucho tiempo.

"¿Qué habrá estado haciendo?" se preguntó Gustavo mientras abría el sobre. La carta decía:

Querido Gustavo,

¿Cómo estás? Yo estoy bien. He estado jugando béisbol con mis amigos todos los días después del colegio. Yo soy el receptor. Me gustaría que pudieras venir a jugar con nosotros.

Vamos a ir a una fiesta en la casa de mi tía este sábado. Ella va a cocinar un estofado de pollo que es mi favorito. Tiene plátano verde, pollo, salchicha y vegetales. Espero que me toque una pata de pollo en mi taza.

¿Y tú en qué andas?

Tu amigo,
Ramón

Gustavo puso la carta nuevamente dentro del sobre y corrió escalera arriba para tomar un lápiz y papel. Esto es lo que escribió:

Recordado Ramón,

Gracias por tu carta. ¡Cómo quisiera ir a jugar béisbol contigo y con tus amigos! Este año soy el lanzador en el equipo de mi liga.

¿Te salió la pata de pollo en la taza? ¿A qué sabe una pata de pollo? Mi abuela también cocina estofado de pollo. Pero su guiso tiene pollo, fideos y salsa. Nunca nos comemos la pata. Yo no sabía lo que era un plátano verde. Mi mamá me dijo que es una especie de banano.

La semana entrante celebraremos el 4 de julio. Vamos a tener un día de campo en el parque. Cuando oscurezca veremos los fuegos artificiales. ¿Ustedes también tienen día de campo y fuegos artificiales?

Tu amigo,
Gustavo

Nombre _____

Preguntas sobre
Amigos por correspondencia

1. ¿Por qué Gustavo tenía prisa por mirar el correo?

_____

2. ¿Quién es el amigo por correspondencia de Gustavo y en dónde vive?

_____

3. ¿Qué era lo que Gustavo quería saber sobre la pata de pollo?

_____

4. ¿Cuáles son las tres cosas que debes poner en un sobre antes de enviarlo por correo?

_____

5. ¿Qué hace la familia de Gustavo el 4 de julio?

_____

6. ¿Qué haces con un amigo por correspondencia?

_____

Escribe el nombre de cada dibujo.

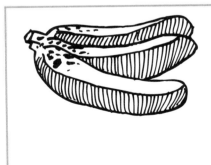

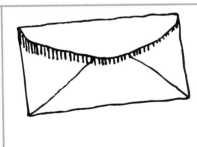

_____ _____ _____

Nombre _____

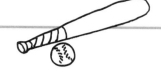

¿Qué significa?

Traza una línea entre las dos frases que forman
una oración completa.

1. Los amigos por
   correspondencia

2. Una carta es

3. Tu dirección

4. Los Estados Unidos es

5. Un plátano verde es

6. El estofado es

dice en dónde vives.

un país.

se escriben cartas uno al otro.

una especie de banano.

un mensaje que se envía por
correo.

un guiso de carne y vegetales.

Escribe el nombre de las partes numeradas del sobre.

1. _____   3. _____

2. _____   4. _____

Gustavo Mejía
112 Elm Street
Brunswick, Maine 04011

Ramón Fernández
7 Calle del Sol
La Vega
República Dominicana

Nombre _____

El amigo por correspondencia de

_____

Imagina que tienes un amigo por correspondencia. Escríbele una carta a tu amigo. Cuéntale sobre ti.

Querido/a _____ ,

_____

_____

_____

_____

_____

_____

_____

_____

Tu amigo/a,

_____

Down in the Orchard

Down in the orchard
It's harvest time
Up the tall ladders
The fruit pickers climb.

Among green branches
That sway overhead
Apples are hanging
All rosy and red.

Just ripe for picking
All juicy and sweet
Pretty to look at
And tasty to eat.

Anonymous

Apples and other fruits grow on trees. Farmers grow the fruit your family buys at the supermarket. Many fruit trees grow together in places called orchards.

If you watched a fruit tree for a while, this is what you would see. Blossoms form on the tree branches. Small green fruit grows from each blossom. The fruit grows larger until it is ripe. Then the fruit is harvested.

Sometimes, fruit is picked and sent to the supermarket while it is still green. The green fruit ripens during its trip to the supermarket.

Name _____

Questions About *Down in the Orchard*

1. Where is the fruit you buy in a supermarket grown?

   _____

2. What do blossoms change into?

   _____

3. What happens at harvest time?

   _____

4. What happens to fruit that is picked and sent to the supermarket while it is still green?

   _____

5. What are two other fruits that grow on trees?

   _____   _____

Draw these parts of an apple tree.

blossom	fruit

Name _____

What Does It Mean?

Match:

1. orchard

2. harvest

3. branches

4. sway

5. soil

6. blossom

the parts of a tree
growing out of the trunk

to swing

dirt

a flower

place where fruit
trees are grown

to pick ripe fruit

Use these words in sentences.

harvest   orchard   blossom

1. _____

_____

2. _____

_____

3. _____

_____

Name _____

An Apple Tree

Name the parts of this tree.

List three ways to use apples.

1. _____

2. _____

3. _____

Allá en el huerto

Allá en el huerto
la cosecha llegó.
El cosechador
a lo alto subió.

En las verdes ramas
va a recoger
manzanas tan rojitas
y bonitas para ver.

Están al punto,
dulces y jugosas,
lindas para ver
¡y tan deliciosas!

Las manzanas y otras frutas crecen en los árboles. Los agricultores cultivan la fruta que tu familia compra en los supermercados. Muchos de los árboles frutales crecen en lugares llamados **huertos**.

Si observas por un tiempo un árbol frutal, esto es lo que vas a ver. Las ramas florecen. Pequeños frutos verdes nacen de cada flor. La fruta va creciendo hasta que está madura. Luego la fruta madura se recoge en la cosecha.

Algunas veces la fruta se recoge y se envía a los supermecados estando aún verde. La fruta va madurando en el viaje hacia el supermercado.

Nombre _____

Preguntas sobre *Allá en el huerto*

1. ¿En dónde se cultiva la fruta que se compra en el supermercado?

   _____

2. ¿Qué nace de la flor?

   _____

3. ¿Qué sucede en la época de la cosecha?

   _____

4. ¿Qué sucede con la fruta que se recoge y se envía al supermercado estando verde todavía?

   _____

5. ¿Qué otras frutas crecen en los árboles?

   _____

Haz un dibujo de estas partes del manzano.

la flor	la fruta

Nombre _____

¿Qué significa?

Traza una línea entre la palabra y su significado:

1. huerto

2. cosechar

3. ramas

4. agricultor

5. tierra

6. florecer

las partes de un árbol que nacen del tronco

alguien que cultiva plantas que dan comida

suelo

cuando nace una flor

lugar donde siembran y crecen árboles

recoger fruta madura

Utiliza cada palabra en una oración.

    cosecha   huerto   flor

1. _____

_____

2. _____

_____

3. _____

_____

Nombre _____

El manzano

Nombra las partes de este árbol.

Escribe tres formas en las que puedes utilizar las manzanas.

1. _____

2. _____

3. _____

Answer Key

Note: The answers to some comprehension questions are given in complete sentences; some answers are not in complete sentences. The level of your students will determine whether you require that answers be in the form o complete sentences.

Max and the Funny Fox
English

Page 7
1. They had been fishing.
2. The flap of the tent was open.
3. A fox had made the mess.
4. He saw it wiggling.
5. The fox had Max's sock in its mouth.
6. He pulled Max away so the fox could get out.
   OR ...so the fox wouldn't hurt Max.
7. He tied it so no more animals could get in.
8. Answers will vary.

Page 8
1. Uncle Ted asked Max to get his jacket.
2. Max saw that the tent flap was open.
3. The inside of the tent was a mess.
4. A fox peeked out of the sleeping bag.
5. Uncle Ted pulled Max out of the tent.
6. The fox ran out of the tent.

Page 9
exit — to leave a place
visitor — someone who comes to see you
tent — the opening into a tent
sleeping bag — a warm bag to sleep in
flap — something to wear
peek — to look
jacket — a happy sound
laugh — a bedroom when you camp

sleeping bag, tent, jacket

Max and the Funny Fox
Spanish

Page 11
1. Estuvieron pescando.
2. Vio que la carpa estaba abierta.
3. Un pequeño zorro causó el desorden.
4. Porque se estaba moviendo.
5. El zorro, porque tenía un calcetín en la boca.
6. Para dejar salir al zorro de la carpa.

7. La aseguró para que no entraran más animales.
8. Las respuestas van a variar. Éstas deben reflejar motivos.

Page 12
1. El tío Ted le pidió a Max que le trajera su chaqueta.
2. Max vió que la carpa estaba abierta.
3. El interior de la carpa estaba en desorden.
4. Un zorro se asomó del saco de dormir.
5. El tío Ted sacó a Max de la carpa de un tirón.
6. El zorro salió corriendo de la carpa.

Page 13
salir — abandonar un lugar
visita — alguien que viene a verte
carpa — tu cuarto cuando estás acampando
saco de dormir — una bolsa acolchada para dormir
entrada — el lugar por donde se entra
fogata — hoguera que se enciende afuera
chaqueta — una prenda de vestir
risa — un sonido alegre

saco de dormir, carpa, chaqueta

Bugs!
English

Page 15
1. They said "Eeek!" OR They screamed.
2. grasshopper—jump high
   bumblebee—collect pollen
   cricke—rub wings together to chirp
3. A beetle has hard wing covers.
4. A bug has a long tube to suck juice with.
5. Answers will vary.

Page 16
1. grasshopper — Susan
2. beetle — Yolanda
3. cricket — Carlos
4. bumblebee — Harry
5. bug — all the children

Insects	People	Plants
grasshopper	Susan	tree
ant	Carlos	bush
moth	Maria	vine
bug	Harry	flower
cricket	Yolanda	weed

Page 17
1. three parts
2. antennae
3. six legs

Bugs!
Spanish

Page 19
1. Dijeron "¡Uuuy!" o gritaron.
2. El saltamontes—salta alto y lejos
   El abejorro—recoge polen para llevar a la colmena
   El grillo—frota las alas para hacer un chirrido
3. Un escarabajo tiene una cubierta brillante y dura.
4. Un bicho tiene un tubo largo para chupar el jugo del alimento.
5. Las respuestas van a variar. Los estudiantes deben explicar cómo se sienten.

El dibujo del estudiante debe mostrar un insecto.

Page 20
1. saltamontes — Susana
2. escarabajo — Yolanda
3. grillo — Carlos
4. abejorro — Jairo
5. bicho — todos los niños

ectos	Personas	Plantas
tamontes	Susana	árbol
miga	Carlos	arbusto
illa	María	enredadera
ño	Jairo	flor
lo	Yolanda	maleza

ge 21
res partes
antenas
seis patas

A Message from Uncle Wilber
English

ge 23
The messenger brought a box from
Uncle Wilber.
Uncle Wilber sent Oscar so Sarah
and Sid could take care of him
while Uncle Wilber was gone.
They kept Oscar a week.
Uncle Wilber gave them a box that
made a hissing sound.
Answers will vary.
You never knew what Uncle Wilber
would send you.

ictures will vary.

age 24
messenger came with a box.
goldfish in a bowl was in the box.
arah and Sid took care of Oscar.
ncle Wilber came on Friday.
ncle Wilber left a thank-you present.
omething in the box hissed.

age 25
nessenger — a person who brings messages
nessage — words sent from one person to another
trange — different
nock — a tap on the door
ift — a present

vet paint — keep off the grass
his side up — stop

A Message from Uncle Wilber
Spanish

Page 27
1. El mensajero llevó una caja de
parte del tío Gilberto.
2. Envió a Oscar para que Sara y
Simón lo cuidaran mientras estaba
de viaje.
3. Cuidaron a Oscar por una semana.
4. Una caja muy pesada con agujeros
y se oía un siseo.
5. Las respuestas van a variar. Éstas
deben reflejar imaginación.
6. Porque nunca saben que les va a
enviar el tío Gilberto.

Los dibujos van a variar.

Page 28
Un mensajero llegó con una caja.
Dentro de la caja había un pececillo
dorado en una pecera.
Sara y Simón cuidaron a Oscar.
El tío Gilberto llegó el viernes.
El tío Gilberto dejó un regalo de
agradecimiento.
Se oyó un siseo dentro de la caja.

Page 29
mensajero — una persona que lleva mensajes
mensaje — algo que le lleva una persona a otra
extraño — diferente
tocar — llamar a la puerta
regalo — las palabras que envía una persona a otra

pintura fresca — no pise el césped
este lado arriba — alto

The Giant Carrot
English

Page 31
1. Grandfather liked to work in his garden.
2. Grandfather grew carrots.
3. He couldn't pull out the giant carrot.
4. He asked for help. OR
Grandmother and the animals
helped him.
5. Answers will vary.

Page 32
1. Grandfather grew carrots in his
garden.
2. Grandfather saw a giant carrot.
3. Grandfather pulled very hard. The
carrot did not come out.

---

4. Grandfather, Grandmother, the cat,
and the mouse all pulled.
5. And the carrot came out!

Page 33
1. peas 2. corn 3. beet
4. carrot 5. spinach 6. celery

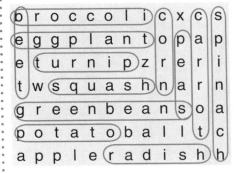

The Giant Carrot
Spanish

Page 35
1. Al abuelo le gustaba trabajar en su
huerta.
2. El abuelo cultivaba zanahorias.
3. No pudo sacar la zanahoria gigante.
4. Pidió ayuda. O TAMBIÉN El abuelo,
la abuela, el gato y el ratoncito
jalaron juntos.
5. Las respuestas van a variar. Éstas
deben reflejar imaginación o ideas
para cocinar.

Page 36
1. El abuelo cultivaba zanahorias en su
huerta.
2. El abuelo vió una zanahoria gigante.
3. El abuelo jaló con toda su fuerza. La
zanahoria no salía.
4. El abuelo, la abuela, el gato y el
ratoncito jalaron.
5. ¡Y la zanahoria al fin salió!

Page 37
1. guisantes 2. maíz 3. remolacha
4. zanahoria 5. espinaca 6. apio

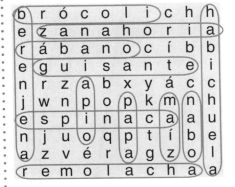

The Three Billy Goats Gruff
English

Page 40
1. There were three goats.
2. The troll lived under the bridge.
3. The little goat got the troll to wait for a bigger brother.
4. The big goat hit the troll so hard that he wasn't seen again.
5. The troll was gone, so they could go across the bridge.

✔ A goat can talk.
✘ A goat can eat green grass.
✘ A goat can walk across a bridge.
✔ A goat can hit a troll.
✘ A goat can be little or big.

Page 41
1. bridge
2. crooked
3. beg
4. troll
5. second
6. growl

The goats ate grass — to eat the goats.
A bad troll wanted — across the bridge.
The goats went — on the hillside.
"Try to eat me," — said Big Billy Goat Gruff.
The troll jumped out — said the little goat.
"Wait for my brother," — and shouted at the goat.

Page 42
bad
lazy
long nose
mean
friendly
big eyes
handsome
hungry
funny
scary

Answers will vary.
Pictures will vary.

The Three Billy Goats Gruff
Spanish

Page 45
1. Había tres cabros.
2. El ogro vivía debajo del puente.
3. Le dijo al ogro que esperara a su hermano más grande.
4. El cabro mayor golpeó al ogro tan fuerte que nunca más lo volvieron a ver.

5. El ogro desapareció y los cabros pueden cruzar el puente.

✔ Un cabro puede hablar.
✘ Un cabro puede comer hierba verde.
✘ Un cabro puede cruzar un puente.
✔ Un cabro puede golpear a un ogro.
✘ Un cabro puede ser grande o pequeño.

Page 46
1. puente
2. encorvado
3. rogar
4. ogro
5. segundo
6. gruñido

Los cabros comieron hierba — devorarse los cabros.
Un ogro malvado quería — cruzar el puente.
Los cabros fueron a — en la ladera.
"Intenta comerme," — dijo el mayor de los cabros Gruñón.
El ogro saltó — dijo el cabro más pequeño.
"Espera a mi hermano," — y le gritó al cabro.

Page 47
malo
perezoso
nariz larga
cruel
amistoso
ojos grandes
guapo
hambriento
chistoso
horrible

Las respuestas van a variar. Éstas deben reflejar frases completas con sustantivos y los adjetivos en la lista.

Los dibujos van a variar. Éstos deben reflejar un personaje ficticio poco amigable.

Cary's Hamster
English

Page 49
1. small, furry, twitchy whiskers, black eyes
2. Hammy lives in a cage.
3. dry pet food, fruit, vegetables, seeds, hamburger
4. The hamster will bite if it is scared or tired.

5. Answers will vary - could be... They watch him care for Hammy. They see him feed the hamster, clean its cage, and pet it.
6. Answers will vary.

run through tubes
stuff its cheeks with food
sing a song
eat
ride a bike
fly a kite
sleep
drink water
draw a picture
tear up paper

Page 50
Answers will vary - could be...
1. feed it
2. give it water
3. keep its cage clean
4. pet it
5. give it toys

Pictures will vary.

Page 51

Cary's Hamster
Spanish

Page 53
1. Pequeña, peluda, tiene bigotes, ojos negros.
2. Lalo vive en una jaula.
3. La comida seca especial para hámster, las frutas, los vegetales, las semillas, y la hamburguesa cruda
4. Un hámster puede morder si esta asustado o cansado.
5. Las respuestas van a variar. Podrían incluir ideas como éstas: Los padres se dan cuenta que Carlos le da comida y juega con él. Ellos ven a Carlos alimentar al hámster, limpiar su jaula y consentirlo.
6. Las respuestas van a variar. Éstas deben expresar motivos y opciones de animales domésticos.

correr dentro de los tubos

elevar una cometa

rellenarse los cachetes con comida

dormir

cantar una canción

tomar agua

comer

dibujar

andar en una moto

rasgar papel

Page 54

Las respuestas van a variar. Pueden incluir éstas u otras respuestas parecidas.
1. alimentarlo
2. darle agua
3. mantener la jaula limpia
4. consentirlo
5. darle juguetes

Los dibujos van a variar.

Page 55

Maggie's Kite
English

Page 57

1. Maggie wanted a kite that she made herself.
2. paper, wood, glue, string
3. to keep her brother out
4. any reasonable answer
5. any reasonable answer
6. Answers will vary.

1.   5.
2.   6.
3.   7.
4.   8.

Page 58

1. a
2. c
3. a
4. c
5. a

Pictures will vary.

Page 59

Picture should show Maggie building her kite.

Picture should show the kite in the tree.

Pictures will vary.

Maggie's Kite
Spanish

Page 61

1. Margarita quería una cometa hecha por ella misma.
2. papel, madera, pegadura, cuerda
3. Para mantener a su hermanito afuera.
4. Cualquier respuesta razonable. Ésta debe reflejar un proceso.
5. Cualquier respuesta razonable. Ésta debe reflejar un sentimiento no grato.
6. Las respuestas van a variar. Éstas deben reflejar una acción.

1. ☺   5. ☹
2. ☺   6. ☹
3. ☹   7. ☺
4. ☺   8. ☹

Page 62

1. a
2. c
3. a
4. c
5. a

Los dibujos van a variar. Éstos deben mostrar una cometa en el cielo.

Page 63

El dibujo debe mostrar a Margarita construyendo su cometa.

El dibujo debe mostrar la cometa en el árbol.

El dibujo debe mostrar cómo se sintió Margarita. Los dibujos van a variar.

Popcorn
English

Page 65

1. Unpopped corn is hard and yellow. Cooked popcorn is fluffy and white.
2. The water turns to steam.
3. The steam pushes the hard cover until it breaks.
4. It pops open when it gets hot.

Page 66

Get out the oil.
Pour some in the pot.

Plop go the kernels.
Now, wait until it's hot!

Pop goes the first kernel.
Pop goes the next.

Then pop, pop...explosion.
There go all the rest!

Pictures should reflect the poem verse.

Page 67

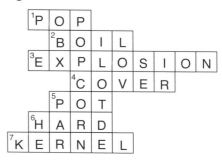

The mystery word is popcorn.

Popcorn
Spanish

Page 69

1. Las palomitas de maíz crudas son duras y amarillas.
   Las palomitas de maíz cocidas son esponjosas y blancas.
2. El agua se convierte en vapor.
3. El vapor empuja la cubierta dura hasta que la abre.
4. Los granos se convierten en esponjosas palomitas de maíz.

Los dibujos van a variar.

Page 70

El aceite en la olla comienza a calentar.

Pon los granos de maíz, y luego a esperar.

Revienta el primer grano con tremenda explosión.

Revienta otro, luego otro.
¡Esto sí que es reventón!

Los dibujos deben reflejar los versos del poema.

Page 71

¹E X P L O S I O N
²A C E I T E
³C A L I E N T E
⁴O L L A
⁵M A I Z
⁶R E V I E N T A
⁷C U B I E R T A
⁸V A P O R
⁹S A L

La palabra escondida es <u>palomitas</u>.

Name Day
English

Page 74
1. She lived in Athens. OR
   She lived in Greece.
2. It was her Name Day, too. OR
   To wish her Happy Name Day.
3. She took candy.
4. It was at Grandmother's house.
5. Answers will vary - could be...
   There was music, food, friends,
   and singing.
6. It had been a present to
   Grandmother from her mother.
7. There are good things to eat.
   There are gifts.
   There are people having fun.

Answers will vary.

Page 75
1. classmates
2. whisper
3. candy
4. Athens
5. celebrate
6. sparkle

1. Eleni's (bracelet)
2. Sam's (bike)
3. Raul's (dog)
4. Ann's (book)
5. Lee's (hat)
6. Will's (ball)

Page 76
Answers will vary.

Name Day
Spanish

Page 79
1. Ella vivía en Atenas. O TAMBIÉN
   Ella vivía en Grecia.

2. Era también su Día del nombre. O
   TAMBIÉN Para desearle un feliz
   Día del nombre.
3. Ella les llevó dulces.
4. Fue en la casa de la abuela.
5. Las respuestas van a variar. Puede
   ser porque…
   Había música, comida, amigos y
   cantos.
6. Porque era un regalo que le había
   dado la bisabuela a la abuela. O
   TAMBIÉN Porque era un regalo
   que le había dado la mamá de la
   abuela a la abuela.
7. Hay cosas ricas para comer.
   Hay regalos.
   Hay gente divirtiéndose.

Las respuestas van a variar. Éstas
deben reflejar razones.

Page 80
1. compañeros
2. murmurar
3. dulces
4. Atenas
5. celebrar
6. brillante

El regalo de Eleni. (pulsera)
La bicicleta de Samuel.
El perro de Raúl.
El libro de Ana.
La gorra de Leonardo.
La pelota de William.

Page 81
Las respuestas van a variar. Éstas
deben indicar motivos de celebración.

Los dibujos van a variar de acuerdo a
la familia de cada estudiante.

Las respuestas van a variar. Éstas
van a reflejar una celebración de
familia de cada estudiante.

The Lion and The Mouse
English

Page 83
1. a lion and a mouse
2. The mouse ran across the lion's
   paw.
3. The lion was in a hunter's net.
4. The mouse gnawed on the ropes to
   free the lion.
5. Answers will vary - could be...
   He wasn't hungry.
   He thought the mouse was funny.
   He was a kind lion.
6. The lion had let him go.

Page 84
1. The mouse was caught.
2. The lion let the mouse go.
3. The lion was caught.
4. The mouse let the lion go.

The lion was...
   large
   loud
   unhappy
The mouse was...
   small
   brave
   hungry
They both were...
   helpful
   trapped
   in danger

Page 85
lunch   net   gnaw
King of Beasts   shade   hunter

Answers will vary, but must contain
the words listed above.

The Lion and The Mouse
Spanish

Page 87
1. un león y un ratón
2. El ratón quedó atrapado por las
   garras del león.
3. Al león lo atrapó la red de un
   cazador.
4. El ratón mordió las cuerdas para
   liberar al león.
5. Las respuestas van a variar. Éstas
   PUEDE SER...
   No estaba hambriento.
   Le pareció divertido el ratón.
   Era un león amable.
6. Porque el león lo había dejado
   escapar.

Los dibujos van a variar. Éstos deben
ser de un león y de un ratón.

Page 88
1. El ratón quedó atrapado.
2. El león dejó libre al ratón.
3. El león fue capturado.
4. El ratón liberó al león.

El león...
   era grande
   era ruidoso
   era infeliz
El ratón...
   era pequeño
   era valiente
   estaba hambriento

bos...
eran serviciales
estaban atrapados
estaban en peligro

ge 89

| rienda | red | roer |
| de las bestias | sombra | cazador |

s respuestas van a variar. Éstas
ben contener las palabras en la
a.

The Best Birthday Ever
English

ge 92
He went to a farm.
Connie and Jacob went with him.
jeep pickup hay wagon train horse
Dad asked him to see that the
children got off the train in Dayton.
OR ...to see that they meet
Mr. Porter.
Answers will vary - could be... He
was surprised. OR He was excited.
He had fun at the farm.
The surprise party was fun.
He liked the train ride with his friends.

other
acob
r. Porter
ay
ad

age 93
. "Wake up, Ray. It's time to get up,"
  said Mother.
. While Ray was eating breakfast,
  Connie and Jacob came in.
. Dad drove the children to the train.
. The children had fun painting the
  fence.
. Ray, Connie, and Jacob rode in the
  hay wagon.
. A surprise birthday party was set
  up by the lake. Ray had a good
  time.

Page 94
Answers will vary.

The Best Birthday Ever
Spanish

Page 97
1. Fue a una granja.
2. Pati y Sergio fueron con él.
3. en el coche, la camioneta, el vagón
   de heno, el tren y el caballo

---

4. Papi le pidió que se asegurara
   que los niños se bajaran del
   tren en Daitona. O TAMBIÉN...
   Asegurarse que el señor Posada
   los recogiera.
5. Las respuestas van a variar. Éstas
   deben reflejar un sentimiento o
   acción. PUEDE SER... Porque fue
   una fiesta sorpresa. O TAMBIÉN...
   Él estaba emocionado.
   Se divirtió en la granja.
   Tuvo muchas cosas que hacer.
   Le gustó montar en tren con sus
   amigos.

Mamá
Sergio
El señor Posada
Ramón
Papi

Page 98
1. "Despierta, Ramón," dijo Mamá.
   "Es hora de levantarse."
2. Mientras Ramón desayunaba, Pati
   y Sergio entraron.
3. Papi llevó a los niños a la estación
   del tren.
4. Los niños se divirtieron pintando el
   gallinero.
5. Ramón, Pati y Sergio montaron en
   el vagón del heno.
6. Una fiesta sorpresa estaba
   arreglada cerca del lago. Ramón
   tuvo el mejor cumpleaños.

Page 99
Las respuestas van a variar. Éstas
deben reflejar personas, comidas,
acciones y sentimientos.

Los dibujos van a variar.

What's for Lunch?
English

Page 101
1. a goat
2. Any three of these:
   clay, moss, labels, hay, leaves,
   greasy pans, socks, beans, and
   peas
3. Anything is a good lunch.
4. because of the things he eats
5. Answers will vary.

Pictures will vary.

Page 102

Good for Lunch	Not for Lunch
1. sandwich	1. bed
2. milk	2. sock
3. soup	3. grass
4. apple	4. box
5. chicken	5. mitten
6. cookie	6. mouse

Pictures will vary.

Page 103

green grass   hay   Grandpa's
                                          socks
leaves on trees   apples   tin can
bedroom slipper   little rocks   carrot
                                 sticks

What's for Lunch?
Spanish

Page 105
1. un chivo
2. Cualquiera de estas cosas:
   el zacate, los calcetines, los
   aguacates, los chapulines, el papel,
   las latas, las ollas con grasa, las
   tazas de nata, las tortillas y la masa.
3. Cualquier cosa es buena para comer.
4. Por todas las cosas que come.
5. Las respuestas van a variar. Éstas
   deben indicar un lugar.

Los dibujos van a variar.

Page 106

Sí se come	No se come
1. emparedado	1. cama
2. leche	2. calcetín
3. sopa	3. hierba
4. manzana	4. cartón
5. pollo	5. mitón
6. galleta	6. ratón

Los dibujos van a variar.

Page 107

hierba verde (circled) ~~zacate~~ (crossed) ~~calcetines~~ (crossed)

hojas de los árboles (circled) manzanas (circled) ollas con grasa (crossed)

~~chancletas~~ (crossed) pequeñas piedras zanahorias (circled)

Let's Make Cookies
English

Page 109
1. They were playing in the backyard.
2. There weren't any cookies in the jar. OR The cookies were all gone.
3. got the recipe
   read the recipe
   took the cookies out of the oven
4. So they will know how to make the food.
5. Answers will vary.

Page 110

3, 1, 6, 4, 2, 7, 5

Mark — "You need a recipe."
"Making cookies is hard work!"
"I want a snack."
Mom — "Just a minute."
"What are ingredients?"
Art — "Let's make some."

Page 111

Answers will vary.

Let's Make Cookies
Spanish

Page 113
1. Estuvieron jugando en el patio trasero.
2. Por que no había galletas en el tarro. TAMBIÉN No había ni una galleta para comer.
3. Les trajo una receta
   Les leyó la receta
   Ayudó a limpiar la cocina.
   TAMBIÉN… Sacó las galletas del horno
4. Para saber cómo preparar la comida.
5. Las respuestas van a variar. Éstas deben indicar que las galletas no les hubieran salido buenas.

Page 114

3, 1, 6, 4, 2, 7, 5

Mateo — "Necesitan una receta"
"¡Hacer galletas es un trabajo duro!"
Mamá — "Quiero una merienda"
"Un momento"
Arturo — "¿Qué son ingredientes?"
"Hagamos galletas"

Page 115

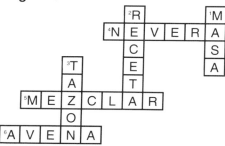

Las respuestas van a variar. Cada oración debe tener una palabra de la lista.

The Gingerbread Man
English

Page 118
1. old woman, old man, cat, dog
2. Her husband liked gingerbread.
3. She was surprised.
4. He couldn't get across the river.
5. He got the gingerbread man to climb on his head and then the fox ate it.
6. Answers will vary - could be...
   Gingerbread men can't run.
   Gingerbread men can't talk.
   A fox doesn't eat gingerbread men.

Pictures will vary.

Page 119

2, 4, 1, 5, 3, 6, 7

People	Animals
1. old woman	1. cat and dog
2. farmer	2. fox
3. old man	3. horse and cow

Answers will vary - could be...
The gingerbread man is not a person or an animal.
A gingerbread man is something to eat.

Page 120
1. c   4. a
2. b   5. c
3. b   6. tiny, wee, small

7. they - cat and dog
   she - old woman
   he - farmer
   it OR he - gingerbread man

The Gingerbread Man
Spanish

Page 123
1. una pobre viejecita, un viejecito, un perro y un gato
2. A su marido le gustaban las galletas.
3. Ella se sorprendió.
4. Porque tenía que cruzar el río.
5. Hizo que el hombrecito de galleta se montara en su cabeza y después el zorro se lo comió.
6. Las respuestas van a variar.
   PUEDEN SER...
   Los hombrecitos de galleta no corren.
   Los hombrecitos de galleta no hablan.
   Un zorro no come hombrecitos de galleta.

Los dibujos van a variar.

Page 124

2, 4, 1, 5, 3, 6, 7

Personas	Animales
viejecita	perro y gato
granjero	zorro
viejecito	caballo y vaca

Las respuestas van a variar. Éstas
PUEDEN SER...
El hombrecito de galleta no es una
persona ni un animal.
El hombrecito de galleta es algo para
comer.

Page 125
1. c
2. b
3. b

4. a
5. c
6. viejecita, viejecito,
diminuto, pequeñito

7. Ellos - perro y gato
Él - granjero
Ella - viejecita
Él - hombrecito de galleta

My Neighbors
English

Page 127
1. all his life
2. She is very old.
3. She makes him brownies and
reads to him.
4. Gregor is the best neighbor. He
and Jamal are friends.
5. Answers will vary - could be...
His neighbors are helpful.
He has known them all his life.
He likes his neighbors.

1. Mr. Brown
2. Dr. Ramirez
3. Aunt Rose

4. Gregor's dad
5. Mrs. Brown
6. Gregor

Page 128
1. neighbors
2. brownies
3. cane
4. porch

5. gorilla
6. camp out
7. pack
8. blew

Pictures will vary.

Page 129

My Neighbors
Spanish

Page 131
1. toda su vida
2. Porque ella es muy vieja
3. Haciéndole bizcochos de chocolate.
4. Gregorio. Porque Abdul y Gregorio
son amigos.
5. Las respuestas van a variar.
PUEDE SER...
Sus vecinos son serviciales.
Los conoce de toda la vida.
Le gustan sus vecinos.

1. Señor Pérez
2. Doctora Ramírez
3. Tía Rosa

4. papá de Gregorio
5. Señora Pérez
6. Gregorio

Page 132
1. vecinos
2. bizcochos
de chocolate
3. bastón
4. pórtico

5. gorila
6. acampar
7. empacar
8. enseñar

Los dibujos van a variar. Deben
mostrar dos niños y una carpa.

Page 133

Frogs
English

Page 136
1. Frog eggs look like jelly.
2. A frog's skin lets in water.
3. Frogs sit and wait and catch food
with a sticky tongue.
4. Webbed feet help the frog swim.
5. Tadpoles have gills like fish.
6. Tadpoles eat little plants called algae.
7. Tree frogs have sticky feet for
climbing trees.
Pond frogs have webbed feet for
swimming.

frog eggs   tadpoles   frog

Page 137
1. toad
2. frog
3. amphibians
4. gills

5. moist
6. algae
7. burrows

Page 138
1. yes
2. yes
3. no
4. yes

5. yes
6. yes
7. no
8. yes

9. yes
10. no
11. yes

Picture of a snake.

Frogs
Spanish

Page 141
1. Los huevos de las ranas son
gelatinosos.
2. Su piel deja pasar el agua.
3. Se quedan quietas y sacan su
lengua pegajosa.
4. Las patas palmeadas le sirven para
nadar.
5. Los renacuajos usan agallas como
un pez.
6. Comen algas.
7. Las ranas de árbol tienen dedos
pegajosos para trepar; las ranas de
laguna tienen los pies palmeados
para nadar.

huevos   renacuajos   una rana

Page 142
1. Un sapo
2. Una rana
3. anfibios
4. agallas

5. húmeda
6. algas
7. madrigueras

Los dibujos del estudiante deben
mostrar:
Una rana verde con una panza
blanca.
Una rana roja pequeña con manchas
negras.
Una rana con un cuerpo verde, ojos
rojos y patas anaranjadas.

Page 143
1. sí
2. sí
3. no
4. sí

5. sí
6. sí
7. no
8. sí

9. sí
10. no
11. sí

El dibujo del estudiante debe mostrar
una culebra.

It's Raining
English

Page 145
1. The sun's heat changes water to water vapor.
2. The warm air carries it up.
3. A cloud is a lot of little drops together.
4. The waterdrops get big and heavy.

Answers will vary, but should state something like:
When the water vapor in warm breath hits cold outside air, the vapor turns to droplets you can see. (condenses)

Page 146

puddle — a pool of water
invisible — can't be seen
Earth — our planet
cloud — a lot of drops of water together in the sky
rain — drops of water falling from the sky
heavy — weighs a lot
breathe — take air in and out of your lungs

wet	little
big	heavy
down	cold
high	together

Page 147
The heat of the sun warms the Earth.
The heat changes water into water vapor.
The water vapor goes up into the sky.
The water vapor becomes drops of water.
The waterdrops become a cloud.
The waterdrops get big and heavy.
It begins to rain.
The cycle starts again.

It's Raining
Spanish

Page 149
1. El calor del sol convierte el agua en vapor de agua.
2. El aire caliente lleva el vapor de agua al cielo.
3. Una nube son millones de pequeñas gotas juntas.
4. Cuando las gotas se vuelven grandes y pesadas, caen como lluvia.

Las respuestas van a variar, pero pueden decir algo así: Hay vapor de agua en el aire tibio que exhalamos. Cuando el aire tibio choca con el aire exterior frío se convierte en pequeñas gotas y podemos ver como una nube que sale de nuestra boca. (se condensa)

Page 150

charco — pequeña lagunita de agua
invisible — no se puede ver
tierra — el suelo
nube — conjunto de gotas de agua en el cielo
lluvia — gotas de agua cayendo del cielo
pesada — que pesa mucho
respirar — tomar y botar aire de los pulmones

mojado	pequeño
gordo	pesado
abajo	frío
alto	junto

Page 151
El calor del sol calienta la tierra.
El calor convierte el agua en vapor de agua.
El vapor de agua sube al cielo.
El vapor de agua se transforma en gotas de agua.
Las gotas de agua se vuelven una nube.
Las gotas de agua se vuelven más grandes y pesadas.
Comienza a llover.
El ciclo comienza nuevamente.

Pests in the Vegetable Patch
English

Page 154
1. She watered it and weeded it.
2. She wanted vegetables to eat.
3. Her eyes popped open and her mouth flew open.
4. bunny/cabbage   crow/corn
   mouse/peas   gopher/lettuce
5. She planted a garden for the animals and one for herself.
   OR She planted her garden in wire baskets.
6. Answers will vary.

X planted her garden
✔ shouted "shoo"
✔ her mouth flew open
X was singing a song
X watched her garden grow
✔ saw critters eating her vegetables
X ate the vegetables in soup

Page 155
1. vegetable patch
2. critters
3. garden
4. harvest
5. shoo
6. weeded
7. pesky
8. munch

Pictures will vary.

Page 156
1. the plants growing OR Aunt Gertie weeding the garden
2. Aunt Gertie as she sees the critters in her garden OR the critters eating the garden vegetables
3. Pictures will vary.

Pests in the Vegetable Patch
Spanish

Page 159
1. Ella lo regó y le sacó la hierba mala.
2. Porque quería comer vegetales.
3. Sus ojos se desorbitaron y se quedó con la boca abierta.
4. a. un conejo – el repollo
   b. un ratón – los chícharos
   c. un cuervo – el maíz
   d. un topo – la lechuga
5. Ella sembró una huerta para los animales y otra para ella.
   O TAMBIÉN Ella sembró y protegió cada planta con una tela metálica.
6. Las respuestas van a variar. Éstas deben reflejar que los animales no pueden comer metal.

X sembró su huerto
✔ grito, "¡Fuera!"
✔ quedó con la boca abierta
X cantaba una canción
X observó su huerto creciendo
✔ vio las alimañas comiendo sus vegetales
X se comió los vegetales en la sopa

Page 160
1. regar
2. alimaña
3. huerto
4. cosecha
5. ¡fuera!
6. topo
7. cultivar
8. mordisco

Los dibujos van a variar.

Page 161
1. las plantas crecieron O TAMBIÉN la tía Gertrudis saca la mala hierba de la huerta
2. la tía Gertrudis ve las alimañas O TAMBIÉN los animales comiéndose los vegetales de la huerta
3. Los dibujos van a variar.

Penguins
English

Page 163
1. Its body is too heavy and its wings are flat and stiff.
2. Its wings make good flippers and its feet are webbed.
3. in the ocean
4. krill, squid, fish
5. a. make a pebble nest and sit on it
   b. hold the eggs on feet and cover with a skin flap
6. a. A chick is smaller and has fluffy feathers.
   b. Penguin parents are bigger and have smooth feathers.

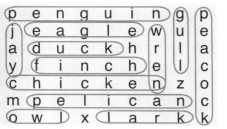

Page 164
1. feathers
2. chick
3. krill
4. waddle
5. bellies
6. webbed

Page 165
egg   chick   adult
They sit on the egg to keep it warm. They feed the baby and keep it safe until it grows adult feathers.

Penguins
Spanish

Page 167
1. Porque su cuerpo es muy pesado, sus alas son planas y tiesas.
2. Porque sus alas le sirven como aletas y sus patas palmeadas le ayudan a nadar también.
3. en el mar
4. comen krill, calamares y pescados

5. a. Hace un nido con piedritas y se sienta en él.
   b. Guarda el huevo sobre sus patas y lo cubre con una faja de piel para mantenerlo caliente.
6. a. Un poluelo es más pequeño y tiene plumitas esponjosas.
   b. Los pingüinos adultos son más grandes y tienen plumas planas.

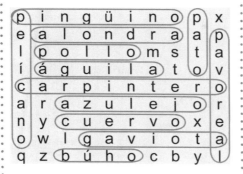

Page 168
1. plumas
2. poluelo
3. krill
4. meneándose
5. abdomen
6. palmeadas

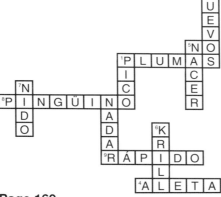

Page 169
huevo   poluelo   adulto
Ellos se sientan sobre el huevo para mantenerlo caliente.
Los padres alimentan a su bebé hasta que le crezcan plumas de adulto.

The Chimpanzee's Friend
English

Page 171
1. in England
2. to see what they did at night
3. She hid in a chicken house.
4. to Tanzania OR to an animal reserve
5. chimpanzees
6. She watched them for a long, long time.
7. She travels around telling people why we need to protect animals.

Answers will vary.

Page 172
1. A
2. F
3. B
4. E
5. C
6. D

See child's drawings.

Page 173
Jane Goodall was born in England.
She slept with a toy chimp when she was a baby.
She hid earthworms under her pillow.
She watched a hen lay an egg.
She watched chimpanzees in Africa.
She talks about why we need to protect animals.

The Chimpanzee's Friend
Spanish

Page 175
1. en Inglaterra
2. para ver qué hacían de noche
3. escondiéndose en el gallinero
4. en Tanzania O TAMBIÉN en una reserva animal
5. el chimpancé
6. Ella los observó por un tiempo muy largo.
7. Viaja alrededor del mundo, hablando con las personas sobre la necesidad de proteger a los animales.

Las respuestas van a variar.

Page 176
1. A
2. F
3. B
4. E
5. C
6. D

Los dibujos van a variar.

Page 177
Jane Goodall nació en Inglaterra.
Ella durmió con un juguete de chimpancé cuando era bebé.
Ella escondió lombrices debajo de su almohada.
Ella observó una gallina poniendo un huevo.
Ella observó chimpancés en el África.
Ella habla sobre la necesidad de proteger a los animales.

Stan and Goldie
English

Page 179
1. Alex has a cat and a goldfish.
2. He called Stan's name. He shook the food box.

3. Stan was watching Goldie swim around in her bowl of water.
4. He put Goldie in a new bowl with a wire lid.
5. Stan would have pulled Goldie out of the bowl. Stan would have eaten Goldie.
6. Answers will vary.

Page 180
1. naughty — a cover for a box or a dish
2. bowl — an animal's foot
3. wire — to take hold of suddenly
4. paw — a thin piece of metal
5. grab — not behaving well
6. lid — a kind of deep dish

1. b   2. a   3. c

Page 181
Stan didn't come when Alex shook his food box.
Stan was sitting on the table watching Goldie.
Stan put a paw into the bowl of water.
"Scat, cat!" yelled Alex.
Stan took off like a flash and hid under the sofa.
Goldie lives in a home with a wire lid across the top.

Stan and Goldie
Spanish

Page 183
1. Alex tenía un gato y un pescado.
2. Lo llamó por su nombre. Le sacudió el plato de comida.
3. Pacho estaba observando a Dora nadar alrededor de su pecera.
4. Puso a Dora en una nueva pecera cubierta con malla de alambre.
5. Pacho se hubiera comido a Dora. O TAMBIÉN Pacho hubiera sacado a Dora de la pecera.
6. Las respuestas van a variar. Éstas deben posibles resultados.

Page 184
1. travieso — la cubierta de una caja o de una olla
2. pecera — el pie de un animal
3. alambre — agarrar alguna cosa
4. pata — una pedazo fino de metal
5. atrapar — que no se comporta bien
6. tapa — recipiente donde vive un pez

1. b   2. a   3. c

Page 185
Pacho no vino cuando Alex sacudió su plato de comida.
Pacho estaba sentado en la mesa observando a Dora.
Pacho metió una pata en la pecera.
"Aléjate, gato!" gritó Alex.
Pacho salió como un relámpago y se escondió debajo del sofá.
Dora tiene una nueva pecera con una malla de alambre que la cubre.

Boots
English

Page 187
1. He saw that something was eating his lettuce.
2. He used a box, a stick, and some string.
3. He saw the lettuce leaves wiggle. He saw a pink nose and two eyes.
4. Tony built a pen for Boots in the backyard.
5. come when her name was called, use the cat's litter box, take treats from someone's hand, stand on her back legs
6. Emma named the rabbit Boots because her white feet looked like she was wearing boots.

Page 188
1. a   3. b
2. b   4. a

1. he   6. well
2. out   7. front
3. went   8. go
4. bad   9. big
5. full   10. untie

Page 189
1. he saw that something was eating his lettuce.
2. he set a trap to catch the pest.
3. he caught a rabbit.
4. he gently took the rabbit out of the trap. OR when he took care of the rabbit.
5. the rabbit didn't eat his plants anymore. OR he had a new pet.

Boots
Spanish

Page 191
1. El vio que algo se estaba comiendo su lechuga.
2. Él utilizó una caja, un palo y una cuerda.

3. Vio que las hojas de lechuga se movían. O TAMBIÉN Vio una naricita rosada y dos ojos.
4. Antonio construyó el corral en el patio de atrás.
5. venir cuando lo llaman, usar la letrina del gato, tomar comida de la mano de alguien, pararse en las patas traseras
6. Porque tenía paticas blancas y parecía como si tuviera botas.

Page 192
1. a   3. a
2. b   4. a

1. él   6. sano
2. afuera   7. delante
3. ir   8. parado
4. malo   9. grande
5. lleno   10. desatar

Page 193
1. vio que algo se estaba comiendo la lechuga.
2. puso una trampa para atrapar al bicharraco.
3. atrapó a un conejo.
4. le construyó un corral al conejo. O TAMBIÉN cuando se hizo cargo del conejo como mascota.
5. el conejo no se volvió a comer sus plantas. O TAMBIÉN el conejo se paró en sus patas traseras para tomar la comida que le dan.

Little Red Hen
English

Page 196
1. A hen, duck, cat, dog, and some chicks lived on the farm.
2. She planted the seeds. She harvested the seeds. She took the seeds to the mill. She baked bread.
3. They all said, "I won't."
4. She wouldn't let them eat the bread because they did not help do the work.
5. *Wee, small*, and *little* all mean "not big."
6. & 7. Answers will vary.

Page 197
1. oven   4. flea
2. fetch   5. mill
3. nap   6. harvest

A hen can talk.
A hen can eat seeds and bugs.
A hen can bake bread.
A hen can plant seeds.
A hen can live on a farm.
A hen can run.

ge 198
4
1
6

Little Red Hen
Spanish

ge 201
Una gallina, un pato, un gato y
unos pollitos vivían en la granja.
Ella sembró las semillas. Ella
recogió la cosecha. Llevó las
semillas al molino. Ella horneó pan.
Todos dijeron "Yo no."
Ella no los dejó comer pan porque
no la ayudaron a hacer el trabajo.
pequeño, diminuto, gallinita,
pollitos
& 7. Las respuestas van a variar.
Éstas deben reflejar una razón.

ge 202
horno   4. pulga
segar   5. molino
siesta   6. cosecha

✓ Una gallina puede hablar.
✓ Una gallina puede comer semillas
e insectos.
✓ Una gallina puede hornear pan.
✓ Una gallina puede sembrar semillas.
✓ Una gallina puede vivir en una granja.
✓ Una gallina puede correr.

age 203
2   4
5   1
3   6

Are You a Spider?
English

Page 206
. The triplets went into the
backyard.
. Pat–grasshopper, Pam–ant,
Pete–butterfly
. They found the spider in the corner
of the porch roof.
. It had eight legs and two body
parts, and it didn't have wings.

5. They are all insects.
6. Animals that talk are make-believe.

fly

Page 207
1. grin   4. porch
2. triplets   5. creepy
3. web   6. spider

1. big brown grasshopper
2. pretty orange butterfly
3. tiny red ant
4. shiny black spider

Page 208

	spider	insect
8 legs	X	
6 legs		X
3 body parts		X
2 body parts	X	
no wings	X	
wings		X

Are You a Spider?
Spanish

Page 211
1. Los trillizos fueron al patio de atrás.
2. Cata—un saltamontes, Pablo—una
mariposa, Lina—una hormiga
3. Encontraron la araña en una
esquina del techo del porche.
4. Tenía ocho patas, su cuerpo tenía
dos partes y no tenía alas.
5. Todos son insectos.
6. Los animales que hablan no son
reales.

la mosca

Page 212
1. mata   4. porche
2. trillizos   5. diminuto
3. telaraña   6. araña

1. Un gran saltamontes café.
2. Una bella mariposa anaranjada.
3. Una diminuta hormiga roja.
4. Una brillante araña negra.

Page 213

	araña	insecto
8 patas	X	
6 patas		X
cuerpo de 3 partes		X
cuerpo de 2 partes	X	
no tiene alas	X	
tiene alas		X

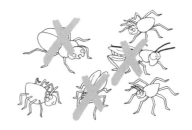

Ice Fishing with Grandfather
English

Page 215
1. Will ran home.
2. Will wanted to see if his grandfather
was there.
3. Will and his grandfather were going
ice fishing.
4. Mother was cooking when Will got
home.
5. They went by snowmobile because
there was ice and snow everywhere.
6. Will was thinking about going fishing.

snowmobile   parka

Page 216
1. teacher ────── in a short time
from now
2. soon ────── to make happy sounds
3. kitchen ────── to become hard or
solid because of cold
a person who helps
4. laugh ────── you learn
5. frozen ────── a room where food
is cooked

1. He was thinking of something else.
2. Don't be in such a hurry.

These compound words can be in
any order on the lines:
grandfather   cowboy
butterfly   baseball
snowmobile   popcorn

Page 217

2, 6, 3, 5, 1, 4

Pictures will vary, but could show Will
catching a fish or Grandfather cooking
fish.

Ice Fishing with Grandfather
Spanish

Page 219
1. Corrió a su casa.
2. Memo quería ver si su abuelo había llegado a la casa.
3. Memo y su abuelo iban a pescar en el hielo.
4. La mamá estaba cocinando.
5. Porque había hielo y nieve por todos lados.
6. Memo estaba pensando en ir a pescar con su abuelo.

una motonieve   un chaquetón esquimal

Page 220
1. profesora — el cuarto en donde se prepara la comida
2. pronto — dentro de un tiempo corto
3. cocina — una persona que te ayuda a aprender
4. risa — un sonido alegre
5. congelado — volverse duro o sólido por el frío

1. Estaba pensando en otra cosa.
2. No debes apresurarte.

Las palabras compuestas pueden estar escritas en cualquier orden sobre las líneas:
saltamontes   picahielo
motonieve   mediodía
rompecabezas   malcriado

Page 221

2, 6, 3, 5, 1, 4

Los dibujos van a variar. PERO puede mostrar a Memo atrapando un pescado o al abuelo cocinando pescado.

Eric and the Bathtub
English

Page 223
1. Eric likes the bathtub best.
2. He screams when Mother pulls him out of the tub.
3. They keep the door shut so Eric can't get into the bathtub.
4. Eric reached up and turned the doorknob.
5. Father put a lock on the door and put the key where Eric can't reach it.
6. Eric could get hurt. OR Eric could drown in the water.

Page 224
1. pajamas   5. scream
2. brother   6. key
3. empty   7. yanked
4. lock   8. alone

1. pajamas
2. bath

Page 225
5   4
2   6
1   3

Eric and the Bathtub
Spanish

Page 227
1. Lo que más le gusta a Enrique es la tina de baño.
2. Cuando su mamá lo saca de la tina él grita.
3. Para que Enrique no pueda meterse en la tina.
4. Enrique alcanzó la perilla de la puerta y la abrió.
5. El papá cerró con llave la puerta y puso la llave en donde Enrique no la alcance.
6. Porque Enrique se hubiera podido lastimar. O TAMBIÉN Porque Enrique pudo ahogarse en la tina.

Page 228
1. pijama   5. gritar
2. hermanos   6. llave
3. vacío   7. con fuerza
4. cerrar   8. solo

1. Todavía no me quiero poner la pijama.
2. Me quiero quedar aquí.

Page 229
5   4
2   6
1   3

Masumi's Party
English

Page 231
1. Masumi had a picnic.
2. Five friends came to the party.
3. The table was set with balloons, funny hats, and sacks.
4. They had sushi, hot dogs, potato chips, and pink lemonade.
5. They played on the swings, slide, and teeter-totter.

6. They looked in the sacks after they ate birthday cake. OR They opened the sacks after Masumi opened her presents.
7. She said it was the best party she ever had.

Page 232
teeter-totter   sack   friend
picnic   balloon   hat
lunch   sushi   lemonade

Page 233
surprises for her friends
a brush and paints
jacks and a ball
a red ribbon
a book

Masumi's Party
Spanish

Page 235
1. Tuvo un día de campo en el parque. O TAMBIÉN una fiesta de cumpleaños.
2. Cinco amigas fueron a la fiesta.
3. Había globos, sombreros divertidos, bocadillos y unas bolsa
4. Comieron sushi, perros calientes, papas fritas y limonada.
5. Jugaron en los columpios, el tobogán y en el balancín.
6. Ellas miraron las bolsas después de comer la torta. O TAMBIÉN Abrieron las bolsas después que Lian abrió sus regalos.
7. Lian dijo que había sido el mejor cumpleaños que había tenido.

Las respuestas van a variar. Éstas deben reflejar claridad en el lugar, la comida y la acción.

Page 236
el balancín   la bolsa   la amiga
el parque   el globo   el sombrero
el almuerzo   el sushi   la limonada

Page 237
sorpresas para sus amigas
un pincel y pinturas
una cuerda de saltar
una cinta roja
un libro

It's Snowing!
English

Page 239
1. A cloud is made of tiny drops of water.
2. Snow is made when waterdrops freeze.
3. Snowflakes fall when they get big and heavy.
4. six sides
   flat
   cold
5. Snow melts on warm ground.
6. Snow covers cold ground.

Page 240
1. snow	5. melt
2. freeze	6. race
3. cloud	7. sled
4. lacy	8. alike

1. ō	6. ow
2. ow	7. ō
3. ow	8. ow
4. ō	9. ō
5. ō	10. ow

It's Snowing!
Spanish

Page 243
1. Una nube está hecha de diminutas gotas de agua.
2. La nieve se forma cuando las gotas de agua se congelan.
3. Los copos de nieve caen al suelo cuando se vuelven grandes y pesados.
4. seis lados
   planos
   fríos
5. La nieve se derrite sobre tierra cálida.
6. La nieve cubre la tierra fría.

Los dibujos van a variar.

Page 244
1. nieve	5. derretir
2. congelar	6. carrera
3. nube	7. trineo
4. encaje	8. igual

nevado	divertido	nevada
botas	árbol	nubes
abrigo	viene	vez

Page 245
Los copos de nieve hechos de papel van a variar.

The Country Mouse and the City Mouse
English

Page 247
1. City Mouse visited his cousin one sunny spring day.
2. Country Mouse lived in a barn.
3. Country Mouse made a straw bed and gathered seeds for his cousin.
4. City Mouse wanted to show Country Mouse the good things he had in the city.
5. The mice ate bread crusts, peas, and cake.
6. A cat was the danger in the city.
7. Cats can kill and eat mice.
8. Country Mouse learned that it is better to eat seeds where it is safe than to have fancy food where it is dangerous.

Page 248
visit	dried grain stems
straw	your uncle's child
cousin	a place outside of town
scamper	the brown edges of bread
danger	something harmful
crusts	to go to see someone
country	to run

In the blink of an eye means "very fast."

Page 249

City Mouse said:
"But let's eat before we go to bed."
"How can you sleep in straw?"
"Come to the city with me and I'll show you how to live."
"It's the cat!"

Country Mouse said:
"Here are seeds to eat."
"I'm going home."
"It's better to eat seeds in a safe place than to eat cake where there is danger."
"You can sleep here."

The Country Mouse and the City Mouse
Spanish

Page 251
1. Visitó a su primo un soleado día de primavera.
2. El ratón de campo vivía en un establo.
3. Le hizo una cama de paja y recogió semillas para su primo.
4. Porque el ratón de ciudad le quería mostrar al ratón de campo las cosas buenas que tenía la ciudad.
5. Los ratones comieron cáscaras de pan, chícharos y pastel.
6. Un gato era el peligro en la ciudad.
7. Los gatos pueden matar y comerse a los ratones.
8. El ratón de campo aprendió que es mejor comer semillas en un lugar seguro que comer pastel en un lugar peligroso.

Page 252
visita	tallos de granos secos
paja	el hijo del tío
primo	un lugar fuera de la ciudad
a toda prisa	la parte dura de afuera de la fruta
peligro	algo dañino
cáscaras	ir a ver a alguien
campo	irse corriendo

En un abrir y cerrar de ojos significa muy rápido.

Las dibujos van a variar. Sin embargo deben ser claros y representar gráficamente las palabras.

Page 253

El ratón de ciudad dijo:
"Pero comamos algo antes de irnos a dormir."
"¿Cómo puedes dormir sobre paja?"
"Ven a la cuidad conmigo y te muestro cómo se vive."
"¡Es el gato!"

El ratón de campo dijo:
"Me voy a casa."
"Aquí hay semillas para comer."
"Es mejor comer semillas en un lugar seguro que comer pastel donde hay peligro."
"Puedes dormir aquí."

Gilly's Surprise
English

Page 256
1. Answers will vary, but should include these:
   She fed the chickens.
   She gave the chickens water.
   She cleaned out the coop.
   She spread straw.
2. Mother asked Gilly to gather the eggs.

3. Gilly was scared when she picked up a mouse.
4. If the mouse comes back it will get caught in the trap.
5. Answers could be "yes" or "no," but must give a reason that makes sense.
6. Answers will vary, but should give the feeling that the mouse was afraid.

1. 🙂   3. 🙂
2. 🙁   4. 🙁

Page 257
1. a   4. b
2. c   5. a
3. b

egg   mouse

Gilly's Surprise
Spanish

Page 261
1. Las respuestas van a variar; PERO DEBEN INCLUIR:
Gina alimentaba los pollos; les daba agua a los pollos; limpiaba el gallinero.
Ella ponía paja en las cajas.
2. Las mamá le pidió que recogiera los huevos.
3. Gina se asustó cuando recogió un ratón.
4. Si el ratón regresa va a quedar atrapado en la trampa.
5. Las respuestas van a variar. PUEDE SER "SI" O "NO". Debe contestar alguna razón que tenga sentido.
6. Las respuestas van a variar. PERO debe dar la sensación que el ratón estaba asustado.

1. 🙂   3. 🙂
2. 🙁   4. 🙁

Page 262
1. a   4. b
2. c   5. a
3. b

Los dibujos deben mostrar un huevo y un ratón.

Page 263
Para cuidar a un grupo de pollos, hay que darles comida y semillas, colocarles agua fresca todos los días, cambiarles la paja, limpiarles el gallinero, sacarlos fuera del gallinero durante el día y entrarlos al gallinero en la noche. También hay que protegerlos de los animales peligrosos.

Las respuestas van a variar.
PUEDEN SER:

pintarlo   colocarlo de adorno
cocinarlo   hacer una omelette
freírlo   huevos tibios
hornearlo   huevos duros
endulzarlo   ensalada de huevos

Bones
English

Page 265
1. Yolanda fell off the monkey bars.
2. The doctor took an X-ray of her arm.
3. The doctor put a cast on Yolanda's arm.
4. She shared the X-ray and her cast.
5. Good food and exercise keep your skeleton strong.
6. Answers will vary, but could include:
She was being silly.
Someone pushed her.
She slipped.
7. Answers will vary, but could include:
She will hold on tighter.
She will watch where she puts her feet.
She won't do tricks.

Page 266

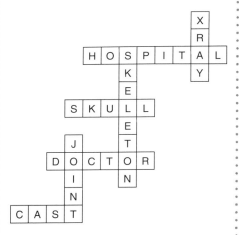

Page 267
skull   rib cage   backbone

Bones
Spanish

Page 269
1. Yolanda se cayó del pasamanos.
2. El doctor le tomó una radiografía del brazo.
3. El doctor le puso un yeso en el brazo a Yolanda.
4. Ella compartió la radiografía y el yeso.
5. Se mantiene con una buena alimentación y ejercicio.
6. Las respuestas van a variar. PERO PUEDEN INCLUIR:
Alguien la empujo.
Ella se resbaló.
7. Las respuestas van a variar. PERO PUEDEN INCLUIR:
Ella se va a agarrar mas fuerte.
Ella se va a fijar donde pone los pies.
Ella no hará piruetas ni trucos.

Page 270

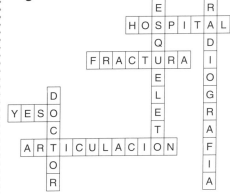

Page 271
el cráneo   las costillas   la espina dorsal

Pen Pals
English

Page 274
1. Kevin was looking for a letter from his pen pal.
2. Ramon is Kevin's pen pal and he lives in the Dominican Republic.
3. He wanted to know if chicken feet taste good.
4. You must put an address, a return address, and a stamp on the envelope.
5. Kevin's family has a picnic and fireworks on the 4th of July.
6. Pen pals write letters to each other.

plantains, chicken foot, envelope